Il Museo Correr

Giandomenico Romanelli

Il Museo Correr

Electa

Introduzione
La prima parte della guida
ripercorre sinteticamente
le vicende storiche connesse
alla nascita e allo sviluppo
del Museo Correr.

La visita
La seconda parte, che
descrive l'itinerario
attraverso le sale del
museo, è introdotta
da una *pianta generale*.
Le piantine all'interno della
visita aiutano a visualizzare
l'ubicazione e l'articolazione
delle singole sale nel
contesto del museo.
Le opere d'arte citate sono
evidenziate con il carattere
stampato in corsivo.
La parte finale è dedicata
al Museo del Risorgimento,
suddiviso in undici sale.

Apparati
Una *bibliografia* essenziale,
ordinata cronologicamente
e aggiornata agli studi più
recenti, permette di
approfondire i singoli temi
trattati nella guida.

*Revisione e coordinamento
editoriale*
Camillo Tonini

in copertina
Vittore Carpaccio, *Le due dame
veneziane*, particolare. Venezia,
Museo Correr.

Sommario

Introduzione storica

Il Museo Correr: storia e arte di Venezia

Il Museo Correr rappresenta, nelle sue varie sezioni e nella molteplicità e ricchezza delle raccolte, la civiltà, la storia e le espressioni d'arte di Venezia. Visitare le sue più di settanta sale equivale quasi a percorrere – nell'avvicendarsi dei capolavori d'arte, delle testimonianze antiche, delle curiosità, dei cimeli del passato – l'avventura di Venezia lungo i secoli della sua storia: partendo quasi dalle origini e giungendo fino al termine della sua indipendenza politica, lungo le dominazioni straniere per giungere agli anni risorgimentali e all'inserimento della città nel Regno d'Italia.

Il Museo prende nome da Teodoro Correr (1750-1830), discendente di un'antica e nobile famiglia veneziana; collezionista appassionato e curioso indagatore della storia patria, egli dedicò gran parte della sua vita a raccogliere materiale artistico, documenti, oggetti singolari appartenuti al passato di Venezia. Alla morte, il Correr lasciava per disposizione testamentaria tutte le sue collezioni – formate oramai da migliaia di pezzi di varia natura e di differente valore storico o artistico – alla città di Venezia: era il primo e già assai vasto nucleo delle raccolte museali cittadine, del Museo Civico, appunto.

Prima sede (aperta al pubblico fin dall'anno 1836) fu la stessa casa di Teodoro, sul Canal Grande a San Zandegolà (Giovanni Decollato) nella parrocchia di San Giacomo dell'Orio. Arricchito da molti acquisti come dai lasciti di vari privati cittadini veneziani, e ormai troppo vasto per gli spazi limitati della casa del Correr, il Museo veniva trasferito nel vicino palazzo detto Fontego dei Turchi (1880), appositamente e radicalmente restaurato dal Comune (risistemazione e riapertura al pubblico nel 1887).

Erano gli anni del fervore patriottico succeduti all'annessione di Venezia al Regno d'Italia (1866): il Museo Civico, qui come altrove, era, insieme, il luogo che rievocava le grandezze del passato e che, nelle sezioni risorgimentali, mostrava una reale e ideale continuità tra gli splendori dell'Italia nei secoli d'oro e la nuova epopea del Risorgimento, una sorta di libro aperto e figurato della nuova coscienza di sé rinata negli italiani.

Erano anche gli anni nei quali, vicino alle espressioni maggiori e più alte delle tradizionali "arti belle", si sentiva l'esigenza di riconoscere e documentare l'esistenza e l'importanza di tutte quelle attività artigianali, manuali, di arti applicate o industriali – come allora venivano chiamati i prodotti destinati all'uso comune o elevato, ma comunque connessi ad attività e funzioni concrete, ai modi di vita: dall'arredo al costume, dai vasi sacri all'utensileria e all'oggettistica domestica – di cui già le varie parti delle raccolte di Teodoro erano ricche e che si erano venute considerevolmente accrescendo negli anni.

Il Museo fu quindi articolato anche in tali sezioni: stoffe, piccoli bronzi, mobili domestici, costumi, giochi e così via. Il tentativo complessivo fu proprio quello di dargli quel carattere di "museo della città e della civiltà veneziana" che, seppur nel rinnovato ordinamento, ancora oggi conserva.

Dal Fondaco dei Turchi tuttavia – rivelatosi anch'esso col passare degli anni una sede troppo angusta – il Museo Civico Correr si trasferiva in piazza San Marco nel 1922, nel palazzo detto

Jacopo Bellini, Crocifissione, particolare.

Bernardino Castelli, Ritratto di Teodoro Correr.

delle Procuratie Nuove (sede degli uffici di alcune delle più alte magistrature della Repubblica di Venezia, i Procuratori di San Marco) e acquisiva inoltre il proprio accesso dal grande monumentale scalone d'onore della cosiddetta Ala Napoleonica, cioè dal lato minore – rifatto nel primo Ottocento – di piazza San Marco. Arricchitosi di nuove donazioni e acquisti, dotato di un'importante biblioteca e di altri servizi scientifici, luogo di mostre e di attività espositive di varia natura, il Museo Correr dispone ora di più sedi: esse costituiscono il complesso dei Musei Civici Veneziani d'Arte e di Storia, uno dei più ricchi ed articolati patrimoni museali civici oggi esistenti, noto in tutto il mondo agli studiosi e agli amatori d'arte e di storia per l'eccezionale complesso di capolavori e di testimonianze storiche che lo costituiscono.

Va inoltre ricordato che, nel tempo, alcune delle collezioni del Correr hanno trovato più idonea sistemazione – pur continuando a costituire parte integrante delle raccolte civiche – in sedi decentrate: la vasta sezione settecentesca ha dato vita al Museo di Ca' Rezzonico (dal 1936); il materiale – soprattutto librario – di natura teatrale ha consentito la formazione della Casa di Goldoni a San Polo (biblioteca, archivio, cimeli storici, dal 1953); le raccolte vetrarie antiche e moderne, unite alle collezioni del preesistente Museo di Murano, hanno dato vita al Museo Vetrario, a Murano appunto, dal 1932; grossi nuclei ottocenteschi, infine sono confluiti nella Galleria Internazionale d'Arte Moderna di Ca' Pesaro fin dai primi anni del XIX secolo; da pochi anni le raccolte di antichi tessuti e di abiti hanno dato corpo al Centro Studi di Storia del Tessuto e del Costume presso Ca' Mocenigo a San Stae.

Il Museo Correr sarà nei prossimi anni notevolmente ampliato e parzialmente ammodernato e riallestito all'interno di un disegno di più generale ristrutturazione dell'offerta culturale e museale degli spazi storici prospicienti la Piazza.

In particolare il Correr diventerà il vero e proprio "Museo della Città", con specifica attenzione a tutto ciò che potrà valere a ricostruire storia ed esperienze culturali di Venezia, nascita e definizione della sua forma, elaborazione delle tecniche costruttive, evoluzione dei linguaggi della sua architettura; ma saranno altresì illustrati la struttura dello stato veneziano e del mondo dell'economia e dei commerci, le tecniche della navigazione; il rapporto della società veneziana con il mondo delle arti e il mecenatismo artistico e ogni altro aspetto di una organizzazione sociale assai articolata che garantì a Venezia durata e fortuna su un arco di secoli.

Al presente possiamo considerare il Museo Correr formato dalle seguenti sezioni: 1. le sale canoviane; 2. la sezione storica comprendente la sala dedicata alla numismatica, l'armeria e le sale Morosini, al primo piano; 3. la sezione dedicata alla Civiltà veneziana, agli usi e ai costumi della Repubblica con le sale delle Arti e Mestieri, dei Giochi e dei Bronzetti rinascimentali, al primo piano; 4. la Quadreria e le sale dedicate alle ceramiche e alle maioliche cinquecentesche, al secondo piano, lato sulla piazza; 5. sezione a parte è costituita dal Museo del Risorgimento e dell'Ottocento veneziano, al secondo piano, lato sul Bacino San Marco; 6. la Biblioteca con il Gabinetto dei disegni e delle stampe e la Fototeca (la visita e la consultazione di questa sezione è riservata agli studiosi e necessita di un particolare permesso della Direzione; l'ingresso a questi settori riservati avviene dalla piazza, a metà circa delle Procuratie Nuove).

Le mostre artistiche e storiche ospitate nelle sale del secondo piano sono manifestazioni temporanee che spesso utilizzano anche molti dei materiali del Museo (dipinti, disegni, incisioni, cimeli storici ecc.) normalmente non esposti nelle sale aperte al pubblico.

L'allestimento attuale del Museo Correr è stato realizzato in due distinte fasi dall'architetto Carlo Scarpa: nel 1952-1953 il primo piano; nel 1960 la Quadreria.

La sistemazione di alcune sale del Museo del Risorgimento (1980) è dovuta alla Direzione Tecnico Artistica del Comune; l'allestimento della sezione Arti e Mestieri e Giochi è del 1993.

Il Museo occupa attualmente gran parte delle Procuratie Nuove (il grande edificio marmoreo rinascimentale che costituisce il lato meridionale di piazza San Marco, a sinistra volgendo le spalle alla Basilica) e della così detta Ala Napoleonica, cioè la parete più breve della piazza, così sistemata dopo alterne vicende, nel primo trentennio dell'Ottocento.

Architetto delle Procuratie Nuove (così chiamate per distinguerle dalle Vecchie: l'edificio di faccia, sul lato nord della piazza) fu dal 1582 Vincenzo Scamozzi (1552-1616), allievo di Andrea Palladio. Egli, partendo da un generale progetto di sistemazione della piazza dovuto a Jacopo Sansovino riprende

Veduta dello scalone dell'Ala Napoleonica, entrata del Museo Correr.

anche, modificandone tuttavia non insensibilmente il linguaggio, il modulo inventato da Jacopo per la contigua Libreria di San Marco, ma aggiungendo un piano e riducendo notevolmente l'ornato sansoviniano. Scamozzi non terminò però le Procuratie, che furono proseguite da altri e completate da Baldassarre Longhena, il maggior architetto del Seicento in Venezia, e progettista tra l'altro della Basilica della Salute.

Lo scalone che dà accesso al Museo Correr sorge sul luogo dove un tempo esisteva la chiesa di San Giminiano, edificata nel XVI secolo da Jacopo Sansovino: edificio a pianta centrale, piccolo ma prezioso di opere d'arte e di suppellettili sacre. La chiesa – di cui si può vedere il profilo tracciato nella lapide commemorativa posta a pavimento nel porticato verso la piazza – fu demolita nel 1807 per volontà della corte napoleonica – e, segnatamente, del Vicerè d'Italia e figliastro di Napoleone, Eugenio di Beauharnais – nel corso dei lavori per la realizzazione delle sale di rappresentanza della Reggia. Alla caduta della Repubblica di Venezia e dopo l'intervallo della così detta prima dominazione austriaca (1797-1807), allorché fu creato il napoleonico Regno d'Italia con capitale Milano, Venezia, divenuta seconda città del Regno, fu dotata infatti anch'essa di un Palazzo Reale per ospitare la corte nelle sue frequenti visite sulle lagune. Dopo una iniziale idea di collocare la Reggia dentro al Palazzo dei Dogi, scartata per le enormi difficoltà logistiche che la trasformazione avrebbe comportato, si decise di adattare a questo scopo il complesso delle Procuratie Nuove e della Libreria di San Marco: è a dire l'immobile serpentino che si snoda dal lato minore della piazza fino ad affacciarsi sul Ba-

Giovanni Bellini,
Madonna col Bambino
(Madonna Frizzoni).

cino di San Marco presso le colonne di Marco e Todaro. I lavori di adattamento furono ingenti: oltre alla demolizione e ricostruzione del lato breve della piazza (in un iter reso accidentato da errori di progetto e di conduzione del cantiere), tutti gli interni furono trasformati con il trasferimento di quanto vi era contenuto (compresa l'antica Libreria e la raccolta di statue classiche, sistemate nelle sale di Palazzo Ducale) e con una complessiva ridecorazione degli spazi condotta secondo i dettami del più aggiornato gusto neoclassico.

Progettisti dello scalone furono gli architetti Giuseppe Soli e Lorenzo Santi, subentrati dopo incidenti e roventi polemiche, al primitivo progettista, l'architetto ufficiale della corte, Giovanni Antonio Antolini. L'affresco a soffitto, sopra lo scalone, è opera di Sebastiano Santi e rappresenta la *Gloria di Nettuno*: esso fu eseguito negli anni 1837-1838, allorché questa parte di rappresentanza della Reggia fu nuovamente ristrutturata e assunse l'attuale configurazione, ad opera, soprattutto, di Lorenzo Santi; in precedenza il soffitto della scala era decorato da altro affresco, con *La caduta dei Giganti*, opera di Giovan Battista Canal (1815).

L'architetto Santi fu affiancato assiduamente dal pittore veneziano Giuseppe Borsato in qualità di decoratore; egli ebbe ad impostare nel complesso gli ornati delle sale secondo una personale e diligente rilettura dello stile Impero, compiuta soprattutto sotto l'influsso delle tavole degli architetti e arredatori francesi Percier e Fontaine, ma non estranea alle montanti fortune in area asburgica del primo "biedermeier".

Riassumendo, quindi, potremmo dire che il progetto del Palazzo Reale appartiene alla corte napoleonica: esso fu portato quasi a completamento fino al 1813 con ingenti lavori d'architettura, d'ornato e d'arredo; dal 1814, sotto un nuovo governo, quello asburgico, si completarono le parti residue della Reggia non senza apportare grosse modificazioni in successive fasi dei lavori: per la parte d'architettura ne fu artefice Lorenzo Santi; per gli ornati e i dipinti la regìa spetta ancora – fin dentro gli anni quaranta – a Giuseppe Borsato, cui si affiancarono vari frescanti: G. B. Canal, S. Santi, G. C. Bevilacqua, F. Hayez, P. Moro, O. Politi ecc.; e stuccatori, come il Castelli; per le opere di scultura furono attivi A. Bosa, D. Banti, A. Monticini, L. Zandomeneghi e altri.

Ancora successiva è la parziale ridecorazione degli appartamenti che ospitano oggi prevalentemente uffici delle Soprintendenze, messa a segno negli anni sabaudi, dopo l'annessione di Venezia all'Italia, nel 1866.

Il Museo Civico Correr si vide assegnata questa sede grazie soprattutto all'opera del primo Sottosegretario alle Belle Arti del Ministero per la Pubblica Istruzione, Pompeo Molmenti, nel 1922, allorché la Corona rinunciò a questo, come a tutta una serie di palazzi reali in giro per l'Italia.

Primo piano

A. Antisala
B. Salone da ballo
C Passaggio
1,2. Sale neoclassiche
     e canoviane
3. Corridoio canoviano
4. Sala del Trono
5. Sala da pranzo
6. Il Doge
7. L'elezione del Doge
   e le feste dogali
8. Libreria dei Teatini
9,10. Sale dei costumi
11. Numismatica
12. Bucintoro
13. Arsenale
14. Venezia e il mare
15,16. Armeria Correr
17,18. Armeria Morosini
19. Sala Morosini
20. Corridoio di passaggio
21,22. Sale Morosini
45,46. Bronzetti rinascimentali
47,48,49. Arti e mestieri
50. L'Arte dei dipintori
51. L'Arte dei tagiapiera
52,53. Giochi

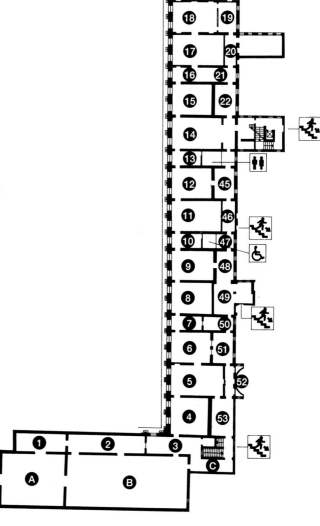

Secondo piano

23,24. Pittori veneto-bizantini
  25. Paolo Veneziano e la pittura
      del primo Trecento
  26. Lorenzo Veneziano
  27. Gotico fiorito
28.1. Pittura gotica
28.2. Stefano Veneziano
  29. Il Gotico internazionale
  30. Cosmè Tura
31.1. I Ferraresi
31.2. Bartolomeo Vivarini
  32. Sala delle Quattro Porte
  33. Fiamminghi del XV secolo
  34. Antonello da Messina
  35. Fiamminghi e tedeschi
      del XV e XVI secolo
  36. I Bellini
  37. Alvise Vivarini e i minori
      del tardo Quattrocento
  38. Le due dame veneziane
  39. Carpaccio e i minori del primo
      Cinquecento
  40. Lorenzo Lotto e il Rinascimento
      maturo
  41. Madonneri greci del XVI
      e XVII secolo
  42. Maioliche del XV e XVI secolo
  43. Libreria Manin
  44. Servizio Ridolfi
 D-O. Esposizioni temporanee

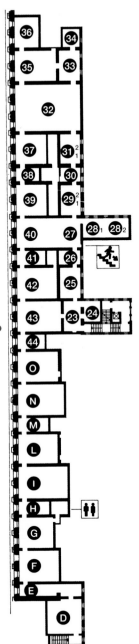
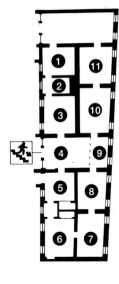

Secondo piano: Museo del Risorgimento

1,2. La massoneria e il primo
     periodo di dominazione
     austriaca
  3. Venezia e la dominazione
     napoleonica (1806-1814)
  4. Secondo periodo
     di dominazione austriaca
5,6,7. L'insurrezione di Venezia,
     l'assedio e la resa
  8. Terzo periodo di dominazione
     austriaca
  9. Daniele Manin
10,11. Ritratti risorgimentali

A. Antisala

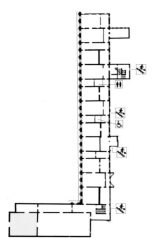

L'accesso al Museo avviene attraverso il vestibolo quadrato (A. Antisala) che oggi ospita la biglietteria e i servizi di accoglienza. Sulle due pareti a sinistra i legni e la stampa di un vero e assai celebre capolavoro: la *Veduta a volo d'uccello di Venezia* dovuta a Jacopo de' Barbari e datata 1500. I blocchi in legno ancora neri d'inchiostro, e la limpida esatta e maestosa immagine che de' Barbari fornisce di Venezia nella sua xilografia, emanano il fascino di una grande opera poetica e stupiscono per la straordinaria perizia tecnica impiegata dall'autore e dai suoi collaboratori in un'imponente impresa di rilevazione, misurazioni, proiezioni cartografiche, disegno e intaglio di quella che sarebbe divenuta la

testimonianza forse più alta e compiuta della *forma urbis* veneziana.

Jacopo de' Barbari,
Pianta prospettica della città
di Venezia, particolare.

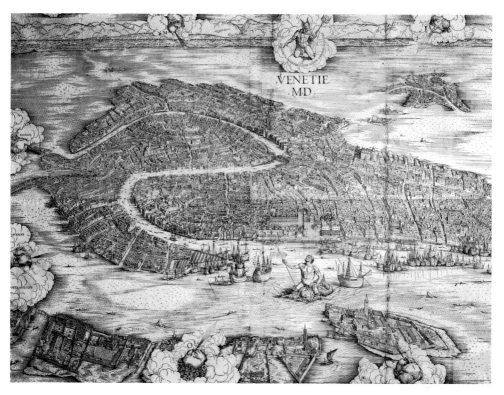

1, 2. Sale neoclassiche e canoviane

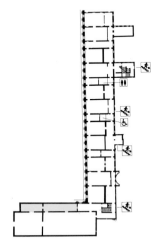

Dall'antisala si accede a un primo piccolo vestibolo ricco di decorazioni di ispirazione antiquaria a grottesche cinquecentesche e a motivi classici, risalente agli anni napoleonici (G. Borsato; restauri 1991): sulla sinistra, su pannello, vi è il ritratto del fondatore del Museo, Teodoro Correr, dipinto a olio su tela di Bernardino Castelli (1795 circa). Dal vestibolo si passa all'ampia galleria o *Loggia*, decorata a marmorino e a pesanti decorazioni monocrome di stampo antiquario, opera del Borsato, realizzata da Lorenzo Santi in occasione della ristrutturazione di questi spazi negli anni 1837-1838, allorché anche si diede vita al Salone nella sua configurazione attuale eliminando la precedente sala ottagona.

In questi primi spazi del Museo sono presentate varie piante di Venezia e vedute di differenti siti della città. Dalle piante a volo d'uccello più o meno direttamente derivate dalla grande xilografia del de' Barbari, si giunge alla prima rilevazione scientifica della *planimetria* dell'Ughi (1729) e alla assai precisa *pianta* di Bernardo e Gaetano Combatti (1848-1854). Nella Loggia spicca ancora la *pianta-veduta* a olio di G.B. Arzenti (di più di cinque metri di base, risalente agli ultimi anni del Cinquecento o ai primi del Seicento). Sia questi dipinti che le piante a stampa consentono di valutare le trasformazioni subite dalla città per forma ed estensione negli ultimi cinque secoli della sua storia e di apprezzare altresì come essa

Alla pagina precedente
*Joseph Heintz, La caccia
al toro a Campo San Polo,
particolare.*

sia giunta a noi in termini
sostanzialmente integri,
nonostante il continuo lavorio
di assestamento e di
aggiornamento architettonico
ed urbanistico, certo
infittitosi nell'Otto e nel
Novecento. Le grandi scene
di vita veneziana sono dovute
al pittore tedesco, ma assai
attivo in Venezia nel medio
Seicento, Joseph Heintz il
giovane; rappresentano: *La
caccia al toro a Campo San
Polo, L'ingresso del patriarca
Federico Corner a San Pietro
di Castello* e *Il fresco in
barca a Murano*. Si tratta di
eventi festosi, occasioni di
cerimonia in differenti scenari
urbani, resi con grande
vivacità e partecipazione da
parte dell'artista; va
sottolineato che la chiesa di
San Pietro a Castello è stata
sede della cattedra
patriarcale fino agli anni
napoleonici, allorché la
basilica di San Marco
subentrò in tale funzione
e la stessa abitazione del
patriarca di Venezia si
trasferì nel cuore della città
dagli anni quaranta

dell'Ottocento, nel nuovo
palazzo patriarcale che
fa da sfondo alla piazzetta
dei Leoncini.
Di notevole interesse
documentario, la tela a
sinistra, tra le finestre, con
il *Molo di San Marco*:
vi compaiono la Zecca e la
Libreria appena costruite dal
Sansovino, ma il cantiere è
ancora aperto sull'angolo tra i
due edifici; il dipinto che va
collocato all'incirca agli anni
ottanta del Cinquecento
è riconducibile alla cerchia
di Lodovico Toepout,
il Pozzoserrato.

*Joseph Heintz, Il fresco
in barca a Murano.*

B. Salone da ballo

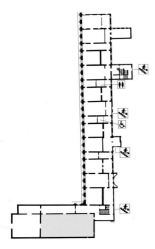

Da una delle porte della *Galleria* si entra, a destra, nel grande *Salone da ballo*, o *Sala delle feste*; si tratta di un ambiente vastissimo e pur raffinato ed elegante, dovuto, come s'è anticipato, a Lorenzo Santi, che sacrificò la primitiva e forse più originale configurazione di questi spazi a favore della solennità imperiale del presente salone. Logge per l'orchestra concludono i lati brevi della sala agganciandosi con qualche incongruenza alle possenti colonne corinzie scanalate in stucco lucido completate dagli opulenti capitelli dorati. Anche in questo caso i monocromi si devono a Giuseppe Borsato; l'affresco allegorico della potenza pacificatrice e restauratrice degli Asburgo, è opera di Odorico Politi e rappresenta *La Pace circondata da Virtù e Geni dell'Olimpo*. Dal fondo del salone si transita in un piccolo gabinetto di passaggio con decorazioni di ispirazione etrusco-pompeiana a piccole figure classiche dipinte in rosso e nero su ampie campiture in marmorino avorio. Sia per il salone che per questo gabinetto e così per le varie parti della Galleria, il recentissimo restauro ha messo in evidenza la qualità dell'esecuzione, pur in lavori che furono realizzati in tempi assai brevi, sotto la pressione delle esigenze di rappresentanza: marmorini e stucchi, tempere e affreschi, ornati e marmi, bronzi dorati, legni risultano ancora pienamente in linea con l'ottima tradizione delle botteghe artigiane della città, così che l'effetto complessivo è di eleganza raffinata e "moderna", di decoro e,

insieme, di comodità e di solidità, ben funzionali all'affermazione dell'immagine che le monarchie ottocentesche desideravano offrire di sé. Dal salone e dai suoi ornati neoclassici prendono avvio gli ambienti del Museo dedicati ad Antonio Canova, una delle sezioni più profondamente rinnovate del Correr, grazie ai lavori compiuti in occasione della grande mostra dedicata allo scultore (1992). Nel salone sono infatti proposti alcuni dei capolavori giovanili del maestro di Possagno: la coppia di statue in pietra di Vicenza rappresentanti *Orfeo e Euridice* sono le prime due realizzazioni significative di Canova (rispettivamente 1775-1776) e provengono al Museo dalla originaria collocazione a Villa Falier presso Asolo; sensibilità ancora tardo-barocche e di derivazione melodrammatica si mescolano ad una concezione profondamente rinnovata dallo studio anatomico, ad un rivoluzionario rapporto tra masse e spazio circostante, a un dominio dei mezzi espressivi in cui risulta pienamente superata la tradizione delle botteghe venete del secondo Settecento. Al centro del salone si impone il gruppo in marmo di Carrara di *Dedalo e Icaro*, primo grande capolavoro della scultura moderna (1778-1779). Anche se compiuto prima del determinante, canonico e fatale viaggio di Canova a Roma, il gruppo sembra raccogliere con straordinaria genialità di invenzione suggestioni antiquarie miste a un naturalismo già spinto e maturo e a una ricerca compositiva che ha in nuce molte delle ricorrenti intuizioni canoviane, come quel movimento a spirale e quell'allontanare le masse – i pieni – dal centro della composizione verso l'esterno fino a creare l'effetto straniante di spazi e volumi che s'intersecano liberamente. Vero e proprio manifesto di poetica elaborato dallo scultore appena o poco più che ventenne (si vedano, significativamente, gli strumenti del mestiere tradizionale abbandonati ai piedi di Dedalo) il gruppo proviene da palazzo Pisani e ha sempre, giustamente, goduto di fama universale. Più oltre il gesso di *Paride* (1807, graffito alla base) modello dei marmi all'Ermitage e a Monaco, che reca ancora i punti metallici di riferimento per le misurazioni ai fini della traduzione in marmo.

Lungo le pareti i *bassorilievi in gesso* – mai tradotti in marmo dallo scultore – con scene dall'Iliade e dall'Odissea e figurazioni allegoriche: veri capolavori di un'intensa fase di studio e di ricerca. Canova pare attento al linearismo di Flaxman e di Blake, ad esempio, o alle fortune di un diffuso gusto neoalessandrino. A questa sezione del Museo va collegato il passaggio che da qui s'intravede e che s'attraverserà alla fine del percorso della visita (C in pianta); in esso sono raccolti i bassorilievi in gesso con le scene della vita di Socrate tratte dal *Fedone* di Platone (*Socrate congeda la famiglia*, *Socrate beve la cicuta* e *Critone chiude gli occhi a Socrate*) e i due calchi con *La Fede* e *La Carità* dal monumento romano di Clemente XIII a San Pietro, e il *busto* in gesso dello stesso pontefice.

3. Corridoio canoviano

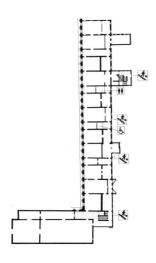

Nel successivo vestibolo, ancora lavori di Canova: le due *erme* femminili di Saffo e della vestale Tuccia e i due *bozzetti* di *monumenti funebri*: quello in cera e legno per Francesco Pesaro (1799), in cui Venezia in lacrime piange la morte di questo suo illustre e controverso figlio; e l'altro, celeberrimo, con la piramide per il monumento a Tiziano (1795) in cui una essenziale processione di figure dolenti s'avvia verso la porta che separa il tempo dall'eternità. L'idea fu utilizzata da Canova per la tomba di Maria Cristina d'Austria nella chiesa degli Agostiniani a Vienna e dagli allievi dello stesso Canova per il monumento funebre

del maestro nella chiesa veneziana dei Frari. Essenziale e sommamente eloquente, il monumento-piramide si rifà alla piramide di Caio Cestio in Roma e alle numerose varianti sul tema svolte da artisti neoclassici; ma conserva la forza poetica data dall'assenza d'enfasi, dai gesti contenuti delle figure e dall'antimonumentalità delle proporzioni, dalla silenziosa meditazione sulla morte in cui si trasforma l'iniziale intento celebrativo. Tra le due colonne il modello in gesso dell'*Amorino alato*, relativo a differenti versioni del soggetto (in Polonia, all'Ermitage, a Cambridge) riconducibile alla fine degli anni ottanta del Settecento.

4. Sala del Trono

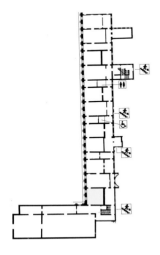

La successiva *Sala del Trono* presenta una ricca decorazione d'ornato di Giuseppe Borsato (1811), mentre gli affreschi con scene mitologiche sono di mano di Giambattista Canal; gli affreschi strappati montati su pannelli sono di Giovanni Carlo Bevilacqua (*Le quattro stagioni*, 1813, e la scena allegorica della Restaurazione, la *Vittoria guida la Fede a coronare l'Europa*, 1814, trasparente omaggio della politica degli Asburgo); mentre lavori giovanili di Francesco Hayez sono le due bellissime sopraporte e le due grandi scene mitologiche con danzatrici (*Giunone e Giove*; *Teti immerge Achille*; *Teti e le armi di Achille*; *Mercurio e Paride*, 1817). Hayez, maggiore pittore italiano di età romantica, è qui nel suo felice momento neoclassico, sotto l'influsso e il magistero dell'arte canoviana. E ancora da Canova è dominata questa sala del Museo: a sinistra, tra le due finestre, vi è il grande gesso dell'*autoritratto* (il marmo è nel tempio di Possagno), mentre sotto le *consoles* sono collocati due *cesti marmorei* di fiori e frutta, prove ancora adolescenziali del Canova per palazzo Farsetti (oggi sede del Municipio). Nelle vetrine vi sono alcuni dei più bei bozzetti del maestro: spiccano tra gli altri il celebre *Amore e Psiche* (?), in terracotta, la *Maddalena penitente* e, isolato, il gesso dell'*Ettore*.

Francesco Hayez, Decorazione parietale, particolare.

Alla pagina seguente
Antonio Canova, Dedalo e Icaro. Salone da ballo.

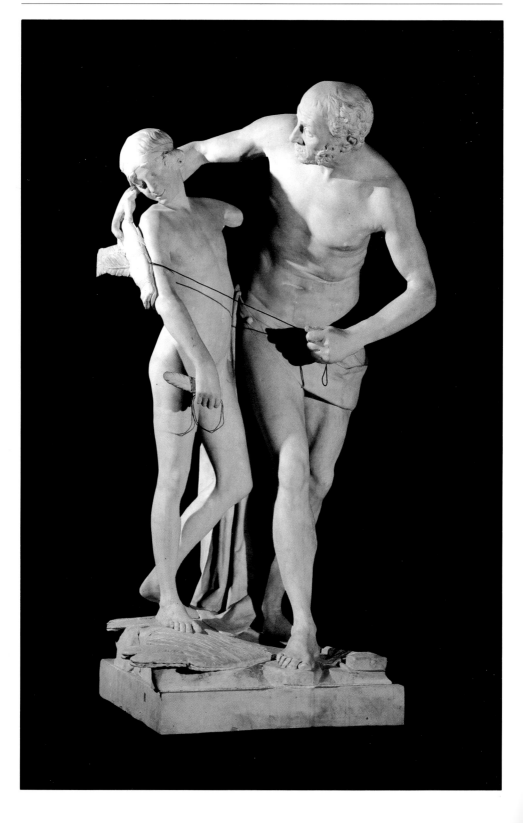

Giovanni Carlo Bevilacqua,
La Primavera.

Francesco Hayez,
Decorazioni parietali,
particolari.

5. Sala da pranzo

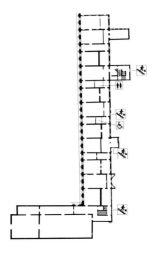

L'ultimo ambiente canoviano del Museo è la successiva *Sala da pranzo*, nella quale è conservata la originale ricca decorazione neoclassica. L'affresco a soffitto rappresenta *L'Olimpo* ed è opera di Giovanni Carlo Bevilacqua; alle pareti, decorazioni verticali a grottesca ispirate ai mesi dell'anno e ai segni zodiacali, cornici dorate e fregi con festosi motivi neoclassici, piccoli tondi con vedute di Milano e di Venezia, città capitali del Regno Lombardo-Veneto, e di altri siti eseguiti da Giuseppe Borsato. Curiosa quella (a sinistra della porta che immette nella sala successiva) con l'*Acqua alta in piazza San Marco*. Al centro della sala, spicca il *tavolo tondo* montato su tre piedi di bronzo raffiguranti sfingi alate. Sul piano scene allegoriche e mitologiche (al centro, *Giudizio di Paride*) in "biscuit" di Sèvres bianco su fondo celeste. Il tavolo,

che faceva parte dell'arredo di Palazzo Reale, è ancora francese (i bronzi del primissimo Ottocento, sono opera di Feuchères) ed è in tutto simile ad un suo gemello appartenuto a Giuseppina Beauharnais conservato a Malmaison.
A cavalletto, due celebri dipinti: l'incompiuto *Ritratto di Amedeo Svajer*, noto antiquario veneziano, di mano di Antonio Canova databile al 1790; opera di grande efficacia psicologica e di raffinata esecuzione, dove appare presente e leggibile l'influsso della ritrattistica inglese conosciuta presumibilmente dall'artista fin dal suo primo soggiorno romano; e *Amore e Psiche*, d'ambito sicuramente canoviano e tradizionalmente assegnato allo scultore, specie in relazione ai celeberrimi gruppi in marmo al Louvre e all'Ermitage, levigata e patetica elegia, priva tuttavia delle qualità del marmo così come della originalità e

Antonio Canova (attribuito), Amore e Psiche.

sicurezza di linguaggio del ritratto Svajer (sul retro della tela, certo di mano del Canova, due danzatrici a monocromo). Tra le finestre, gesso della *Venere Italica*, il cui marmo reputato uno dei capolavori dello scultore di Possagno, si trova a Firenze nella Galleria Palatina di Palazzo Pitti, portato a compimento tra 1804 e 1811. Le sedie e il divano neoclassici distribuiti lungo queste sale, in legno laccato bianco e dorato – ritenuti un tempo opera di Giuseppe Borsato – sono in realtà parte del raffinato arredo fatto eseguire da Maria Luisa di Borbone per la sua Reggia di Parma, e sono da ricondursi presumibilmente a disegni di Luigi Valisa. Le sale successive rievocano, per grandi temi e suggestive rappresentazioni, aspetti della storia e della vita di Venezia, nei secoli della sua grandezza e millenaria indipendenza politica. Non si tratta di una narrazione continua, ma di una serie di spunti e di approfondimenti su alcuni dei caratteri che hanno contrassegnato le vicende e determinato le stesse strutture istituzionali della Repubblica di Venezia.

Antonio Canova, Ritratto dell'antiquario Svajer.

6. Il Doge

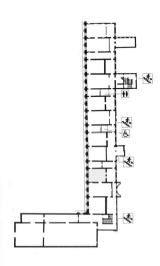

Questa sala e la successiva sono dedicate alla figura della massima magistratura dello Stato di Venezia, il Doge, in un percorso che ne rivela i momenti di maggiore splendore e potere e la decadenza degli ultimi anni della Repubblica.
Nella parete di destra, sopra le vetrine, sono collocate due tele di notevole pregio artistico, già nella chiesa camaldolese di San Michele in Isola, di cui originariamente costituivano le portelle d'organo. Si tratta di opere dei pittori bresciani Giovanni e Bernardino da Asola, risalgono al 1526 e raffigurano *Il doge Pietro Orseolo dinanzi a San Romualdo* (a destra) e *San Benedetto e due monaci* (a sinistra), ispirate alle vicende del doge che, secondo la tradizione, decise di lasciare volontariamente il dogado per ritirarsi nell'abbazia benedettina di San Michele di Cuxa nei Pirenei, dove morì nel 987. Sopra i dossali in noce secenteschi provenienti dal convento attiguo alla chiesa veneziana di Ognissanti, soppresso nel 1902, due grandi teleri di soggetto storico. Di fronte all'ingresso è l'*Arrivo della dogaressa Morosina Morosini Grimani a Palazzo Ducale*, già a Palazzo Grimani a San Luca. Moglie del doge Marino Grimani, Morosina fu una delle pochissime consorti di dogi a essere incoronata: fastosissime cerimonie accompagnarono e sottolinearono l'evento; tra queste l'ingresso a Palazzo Ducale il 4 maggio 1597, che è soggetto di questo dipinto. La tela, opera di Andrea Michiel detto il Vicentino, è ricchissima di annotazioni relative a questa celebrazione e a tutto l'apparato scenografico nel quale la vicenda si svolse: dal Bucintoro cinquecentesco, rappresentato in piccola dimensione a sinistra, all'arco trionfale eretto dall'Arte dei Macellai, al padiglione galleggiante – il "teatro del mondo" – ideato da Vincenzo

Antonio Vassilacchi detto L'Aliense, Lo sbarco della Regina di Cipro Caterina Cornaro.

Michele Giambono (?), Leone marciano in maestà.

Alla pagina accanto
Lazzaro Bastiani, Il doge Francesco Foscari.

Scamozzi, ai costumi e agli ornamenti di dignitari e dame che assistono all'evento.
Di fronte a questa tela è lo *Sbarco della Regina di Cipro Caterina Cornaro*, opera di Antonio Vassilacchi detto l'Aliense; il dipinto ricorda l'arrivo a Venezia nel 1489 della ex regina di Cipro, la veneziana Caterina Corner, di fatto espropriata del proprio regno, acquisito dalla Repubblica di Venezia con atto di formale donazione (il dipinto proviene dall'ala di Palazzo Ducale ristrutturata quale sede patriarcale nell'Ottocento).
Tra le finestre, *La consegna dell'anello al doge*, un'opera giovanile di Gian Antonio Guardi, replica del dipinto di egual soggetto eseguito da Paris Bordone per la Scuola Grande di San Marco e ora conservato alle Gallerie dell'Accademia; vi si raffigura l'antica leggenda del pescatore che riconsegna al doge l'anello avuto da San

Marco, durante un fortunale alla bocca di porto del Lido.
A cavalletto, vicino all'ingresso, il *Ritratto di Francesco Foscari* di Lazzaro Bastiani (1460 circa), dove l'immagine del celebre vigorosissimo doge guerriero mescola evidenti impressioni documentarie e notazioni psicologiche ai canoni del ritratto ufficiale, corredato di tutti i contrassegni di un potere idealizzato e lontano, nella preziosa ricercata qualità dei materiali.
Nelle vetrine a parete sono esposti alcuni oggetti di diverse epoche, legati anch'essi alla persona del doge. In quella di destra il rarissimo *corno dogale* in broccatello d'oro con la sottostante cuffia di tela bianca, detta "rensa" (si tratta di un preziosissimo esemplare risalente al tardo Quattrocento, appartenuto ad uno dei dogi Barbarigo che si succedettero tra il 1485 e il 1501). Settecentesco

il *cappello di paglia* offerto, secondo l'uso, al doge Ludovico Manin nel 1797 dal capo della Scuola dei Casselleri, in occasione dell'annuale visita alla chiesa di Santa Maria Formosa, a commemorazione di un evento mitico della storia veneziana delle origini, il Ratto delle Donzelle che diede luogo a una celebre festa popolare, quella detta delle Marie. A sinistra il *canestro* su cui le monache del convento di San Zaccaria presentavano il corno ducale al doge, quando, il giorno di Pasqua, egli si recava in visita alla comunità. Di alto valore storico e artistico sono il dipinto di Pietro Longhi raffigurante il *Doge Grimani in trono riceve un senatore procuratore* e la *statua del doge Antonio Venier* in legno intagliato e dipinto.

Nella vetrina di sinistra un piccolo dipinto di Giuseppe Heintz, *Ricevimento di un ambasciatore nella sala del*

Collegio, ripropone la figura del doge nell'esercizio di una funzione pubblica a Palazzo Ducale. Vi sono pure conservati due *bastoni di comando*, un'*urna dorata* settecentesca, proveniente da Palazzo Ducale, usata per le votazioni ed una notevole tavola di epoca tardogotica, probabilmente parte di un'opera più completa, raffigurante il *Leone marciano* (simbolo dell'evangelista San Marco, protettore di Venezia) attribuita a Michele Giambono. Notevole pure il *frammento di mensola* in legno intagliato con lo stemma della famiglia Venier (secolo XVIII). Tra le vetrine un piccolo *frammento di arazzo* con il ritratto del doge Antonio Grimani (o Leonardo Loredan?) è parte superstite del paliotto che, secondo l'uso, veniva donato alla Basilica di San Marco in occasione del giuramento del doge prestato dopo l'elezione. A cavalletto un *duplice ritratto* di Lazzaro Bastiani raffigura i dogi Antonio Venier e Michele Steno. Si tratta del frammento superstite di un fregio tardoquattrocentesco con la serie dei dogi, originariamente collocato a Palazzo Ducale, per la gran parte perduto nell'incendio che nel 1576 devastò alcune sale del palazzo.

Nella vetrina tra le due finestre la rarissima *toga a corruccio* (cioè di lutto e di dolore, in panno rosso vivo, a ricordare il sangue di Cristo), che veniva indossata dal doge per le liturgie del Venerdì Santo celebrate nella cappella ducale, l'attuale basilica di San Marco.

7. L'elezione del doge e le feste dogali

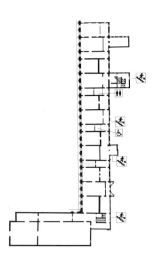

Nel corso dei secoli la procedura per l'elezione dei dogi venne via via a definirsi e a cristallizzarsi in un complicatissimo sistema di votazioni a schema incrociato che miravano a sventare il pericolo di brogli e, insieme, ad ostacolare eventuali accordi fra correnti e conseguenti pericoli di corruzione.

Nella vetrina di destra il *disegno settecentesco* schematizza la procedura, in occasione dell'elezione del doge Carlo Ruzini (1732). Accanto le *manine* usate per il conteggio dei voti per l'elezione a doge di Ludovico Manin (1789), e quella per l'elezione del doge Alvise Pisani (1734); di seguito una piccola incisione cinquecentesca con la Sala del Maggior Consiglio, dove è ben visibile l'affresco con *Il Paradiso e l'Incoronazione della Vergine* del Guariento (1365), andato distrutto a causa dell'incendio del 1576 e in seguito sostituito col grande "teler" del *Giudizio Universale* di Jacopo Tintoretto. Più a sinistra varie pergamene con autografi dogali. Nella vetrina di fronte sono conservati, accanto a medaglie con ritratti di dogi, libri originali e riproduzioni di pagine interne di *promissioni dogali*, cioè il testo degli obblighi e dei poteri su cui il doge prestava giuramento, nell'occasione dell'investitura sull'altare di San Marco, e di *commissioni dogali*, codici miniati contenenti incarichi affidati ad ambasciatori, alti funzionari e provveditori inviati in missione all'estero.

Il rapporto del doge con la città aveva i suoi momenti di maggior significato in occasione di festività e pubbliche celebrazioni. La bella xilografia a parete raffigura *La processione del corteo dogale in piazza San Marco*, opera di Matteo Pagan (1559).

Gli intenti dell'incisione sono certamente documentari e celebrativi insieme: la teoria di persone – dignitari laici ed ecclesiastici, importanti cariche pubbliche, confraternite di pietà e organizzazioni professionali – e simboli del potere dogale, che s'avvicendano con incedere monumentale nella grande processione, richiamano certamente il gusto ancora per certi versi bizantino ed imperiale che Venezia aveva appreso nella sua frequentazione con la capitale dell'Impero romano d'Oriente, di cui si sentiva, a tutti gli effetti, legittima erede. Di questo gusto e di questa sensibilità certo ha risentito la passione veneziana per le feste e le fastose scenografie, attitudine che si manifestava nelle forme più varie, così nelle fedeli incarnazioni della sensibilità popolare come nei più raffinati ed esclusivi riti élitari. Lo stesso evento è ricordato, nella parete tra le vetrine, dal *dipinto* di Cesare

Vecellio (1521-1601), cugino di Tiziano, eseguito dopo il 1586, anno in cui furono terminate le Procuratie Nuove, a destra nel dipinto. Sulla parete sinistra, una tela, presumibilmente di primo Ottocento di derivazione da una stampa del Brustolon e tratta da disegno del Canaletto, mostra il *Doge in visita a San Zaccaria*; di seguito il dipinto di Giuseppe Heintz il giovane documenta l'annuale *Processione per la festa del Redentore*, quando, su un ponte di barche appositamente gettato attraverso il canale della Giudecca, il doge, seguito dalle più alte cariche dello Stato e dalla popolazione veneziana, andava a rinnovare nella chiesa votiva dedicata a Cristo Redentore, progettata da Palladio, il ringraziamento della città per la cessazione della pestilenza del 1576.

Matteo Pagan, Processione dogale in piazza San Marco, particolare.

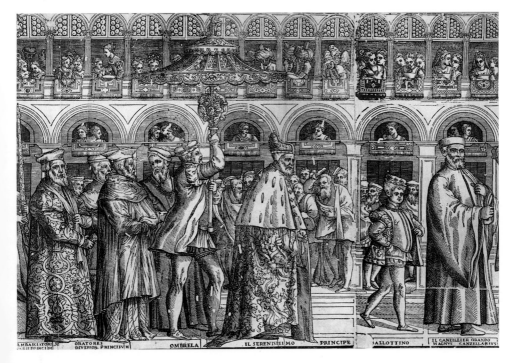

8. Libreria dei Teatini

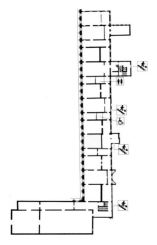

Sono state collocate in questa sala le monumentali architettoniche librerie in noce massiccio provenienti dal convento veneziano dei Teatini intitolato a San Nicola dei Tolentini, e successivamente trasferite a Palazzo Pisani. Si tratta di un magnifico esempio di arredo secentesco dove l'impianto classicista sui due ordini sovrapposti, sottolineato dalle eleganti colonne corinzie scanalate, è solo in parte mitigato dalle grandi volute dell'ordine superiore, toccate dall'incipiente gusto barocco. All'interno delle librerie sono conservati manoscritti rari, volumi a stampa risalenti a epoche tra il primo Cinquecento e il Settecento e la grande raccolta delle *commissioni dogali* posseduta dal Museo. Nelle due vetrine a centro sala sono conservate preziose e rare *legature* in argento lavorato a sbalzo e altre in cuoio impresso e dorato, tipica lavorazione veneziana influenzata da modelli orientali.

L'imponente *lampadario* settecentesco di fabbrica muranese è probabile produzione della celebre fornace di Giuseppe Briati, come quello della sala successiva.

Veduta della Libreria dei Teatini con il lampadario settecentesco.

Miniatura con il doge Nicolò Marcello inginocchiato.

9, 10. Sale dei costumi

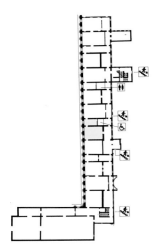

I materiali esposti in queste due sale consentono una suggestiva panoramica su aspetti e momenti tipici della vita ufficiale veneziana dei secoli XVII e XVIII. Nella prima sala, innanzitutto va segnalata la rarissima raccolta di costumi e vesti riferibili ad alte magistrature della Repubblica: tra questi i Senatori e i Procuratori di San Marco – con stola di velluto controtagliato sulla spalla –, che avevano il compito di amministrare e salvaguardare la chiesa di San Marco. L'austera signorilità e l'eleganza sobria, e pur monumentale, di queste vesti ben assolvono alla funzione di segnalare e sottolineare la dignità e il decoro delle cariche di governo e il carattere di servizio prestato alla collettività nell'assolvere con onore agli incarichi pubblici: ciò almeno fino a quando nel periodo di decadenza l'enfasi scenografica delle vesti poté forse apparire niente più che una sottolineatura retorica ad una condizione di impotenza e di colpevole immobilismo. I grandi ritratti delle tele a parete (provenienti da Palazzo Morosini a Santo Stefano) sono di personalità di casa Morosini e richiamano con i loro abiti quelli esposti nelle vetrine; interessante il *Ritratto del senatore Marcantonio Morosini* che

Bartolomeo Nazzari, Ritratto di Vincenzo Querini.

poggia le mani su di una commissione dogale, testo su cui venivano ufficialmente assegnati gli incarichi all'estero a vari funzionari della Repubblica.
Si segnala il severo *Ritratto del Bailo Giovanni Emo* attribuito a Pietro Uberti (1671-1762). Il bailo, l'ambasciatore veneziano a Costantinopoli, veniva eletto dal Senato ed aveva una posizione di grande potere, in quanto era governatore locale, funzionario commerciale e doveva tenere i contatti con il potere politico locale. Nella sala successiva

altri dipinti raffigurano alti funzionari della Repubblica: il *Ritratto del Senatore Angelo Memmo* – eseguito attorno al 1770 – un *Ritratto di Senatore* entrambi di Alessandro Longhi (1733-1813). Segue il tardocinquecentesco *Doppio ritratto del doge Antonio Priuli e dell'omonimo procuratore* ascrivibile all'ambito di Leandro Bassano (1577-1622) e il *Ritratto di Vincenzo Querini* di Bartolomeo Nazzari (1699-1750).
Nella vetrina una *toga da procuratore* del XVIII secolo.

11. Numismatica

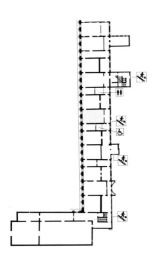

Il Museo Correr vanta una straordinaria raccolta numismatica comprendente monete antiche (greche e romane) e di età moderna; soprattutto però vi è rappresentata in maniera ricchissima la monetazione veneziana dalle origini alla caduta della Repubblica.
Nelle vetrine di questa sala è esposta la serie pressoché completa delle monete coniate dalla Serenissima. Dopo il periodo di monetazione effettuata nel nome dell'autorità imperiale, inizia con il "denaro piccolo" voluto dal doge Sebastiano Ziani (1172-1178) la vera e propria autonomia veneziana in

quest'ambito. I primi ducati apparvero durante il dogado di Giovanni Dandolo (1280-1289): si tratta di quella moneta che col nome di "zecchino" sarà per secoli presente su tutti i mercati del mondo.
Notevole è anche la collezione, nella vetrina di destra, delle *oselle* veneziane e muranesi, medaglie in oro e in argento – con valore anche di monete – coniate annualmente per ricordare il dono di uccelli di palude (*oselli*, cioè uccelli, donde il nome) che il doge offriva ai nobili in occasione del Capodanno. Nelle vetrine

Stendardo di galeazza in seta con stemma di Domenico Contarini.

Jacopo Tintoretto, Santa Giustina e i tesorieri.

zampe posteriori nell'acqua e le zampe anteriori a terra, a indicare i domini "da mar" e "da terra" della Serenissima. Nelle sei code dello stendardo sono raffigurati alternativamente lo stemma della famiglia Contarini e il leone in maestà, o come dicevano i Veneziani "a moleca", con le ali a ventaglio raccolte attorno al corpo. Sulle altre due pareti una *bandiera da capitano da nave* priva delle code, del XVII secolo, e una grande *bandiera a due code*, con santa Barbara e stemma Soranzo, donata dalle milizie della città di Belluno al podestà Francesco Soranzo nel XVII secolo.

centrali sono esposti alcuni esemplari di *strumenti della Zecca*.
Di fronte all'ingresso della sala prende posto, a terra, il secentesco *forziere metallico* con le insegne della Repubblica.
Nella parete destra è di grande pregio la bella tela di *Santa Giustina*, opera tarda, ma ancora vigorosa di Jacopo Tintoretto, nella quale spiccano con grande vivezza le caratterizzazioni fisionomiche e le qualificazioni di carica dei personaggi effigiati in primo piano, identificati come Marco Giustiniani, Angelo Morosini e Alessandro Badoer, mentre in secondo piano appaiono i tre segretari. La tela proviene da Palazzo dei Camerlenghi sul Canal Grande, a Rialto, sede

appunto dei tre Camerlenghi, magistrati incaricati di provvedere alle finanze dello Stato. Segue un interessante dipinto settecentesco dove è raffigurata la scena del doge che in una speciale portantina (pozzetto) attraversava la piazza – dopo aver giurato la Promissione in San Marco e prima dell'incoronazione in Palazzo Ducale – distribuendo più o meno generosamente denari alla folla tenuta a bada con lunghe pertiche dai lavoratori dell'Arsenale – gli arsenalotti – riconoscibili dai berretti di panno rosso. Tra gli *stendardi* secenteschi a parete si segnala quello da galeazza di fronte all'ingresso, in seta rossa e oro con lo stemma del doge Domenico Contarini (1659-1675) e il leone cosiddetto "andante", in piedi con le

Multiplo da 100 zecchini del doge Alvise Mocenigo (recto e verso).

12. Bucintoro

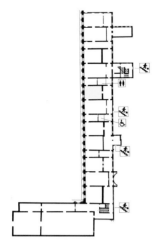

*Antonio Corradini, Portello
del Bucintoro, secolo XVIII.*

Il Bucintoro, cui è per grande parte dedicata questa sala, è la mitica nave da parata su cui il doge e la Signoria si recavano ogni anno all'Ascensione nel porto del Lido a celebrare il singolare rito dello sposalizio con il mare – come a ribadire la natura quasi maritale che legava la città all'elemento marino che ne aveva determinato caratteri e fortune. Istituito con tale appellativo di incerta etimologia e con la funzione rappresentativa che gli fu propria sin dall'inizio del Trecento, esso certo riprendeva una tradizione più antica. È il Bucintoro comunque – regale (come in Canaletto) o quasi spettrale (come in Francesco Guardi) – ad attrarre l'attenzione delle grandi parate pubbliche, rappresentando una sorta di quintessenza del potere e dei caratteri propri e qualificanti della realtà veneziana. Si fabbricarono, sin dai tempi più antichi, varie edizioni del Bucintoro; uno fu costruito nel 1605, e l'ultimo fu realizzato sotto la direzione dell'ingegnere navale Michele Stefano Conti, tra il novembre 1722 e il maggio 1728, quando fu utilizzato, ancora senza doratura, nella festa dell'Ascensione. Completato con la doratura degli intagli di Antonio Corradini, esso misurava 35 metri di lunghezza e 7 di larghezza ed era mosso da 168 rematori. Grande e fastosa arca galleggiante, il Bucintoro poteva essere usato solo in caso di assoluta bonaccia e bel tempo, data la sproporzione tra la piccola parte in immersione e i due piani sopra la linea di

Scuola veneta del XVII secolo, L'imbarco della dogaressa Morosina Morosini Grimani.

galleggiamento. Messo in disarmo dell'apparato decorativo – anche a sottolineare la fine dell'*ancien régime* di cui era uno dei simboli maggiormente evocativi – nel 1797 lo scafo del Bucintoro fu destinato, armato di qualche cannone, alla difesa della laguna, poi trasformato in carcere galleggiante e infine del tutto demolito nel 1824.

Di quest'ultimo Bucintoro sono esposti, nella vetrina centrale, un *modello settecentesco* e, alle pareti, i *frammenti in legno dorato*, opera di Antonio Corradini e della sua bottega. Il *portello*, nella parete di fondo, è quello dal quale il doge – durante la cerimonia dello sposalizio del mare – gettava l'anello a simboleggiare la perpetua unione tra la città e il mare; curioso il *modelletto in filigrana* del Bucintoro nella sua uscita il giorno dell'Ascensione.

Gli altri materiali esposti si riferiscono alla vita navale della Repubblica: il grande *fanale* stava a poppa di una galera di proprietà della famiglia Boldù, e così il fanale più piccolo e i *pennoni* di nave.

Nella parete destra una rimarchevole tela di storia e costume veneziani: il famoso e più volte raffigurato (sala 6) *Imbarco della dogaressa Morosina Morosini Grimani* al suo palazzo – Grimani – sul Canal Grande a San Luca; sulla destra del dipinto si noti il "Teatro del mondo", padiglione galleggiante utilizzato per le feste. Segue il *Ritratto della dogaressa*, attribuito a Jacopo Palma il Giovane, con abito da cerimonia in broccato d'oro e corno dogale.

13. Arsenale

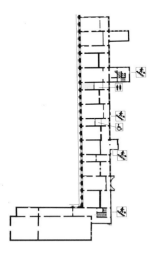

Il cuore – gelosamente protetto e difeso – della Venezia marittima era sicuramente l'Arsenale, cioè il vastissimo complesso di cantieri e bacini direttamente e industrialmente gestito dallo Stato sia per la costruzione e il mantenimento della flotta bellica, come di gran parte di quella commerciale. La *pianta acquerellata* dell'Arsenale, opera di Antonio di Natale (secolo XVII), è un raro esempio di veduta della zona, data la riservatezza che circondava tutta l'area cantieristica veneziana, esibita a visitatori illustri e ufficiali solo nelle parti di rappresentanza e di parata. Curiose le due *incisioni* con vedute della porta dell'Arsenale, di Michele Marieschi (1740) la prima, di Giacomo Franco (1596) la seconda, nella quale si vede l'uscita degli arsenalotti dal luogo di lavoro. Esposte nella parete di fronte all'ingresso vi sono due *insegne delle Arti* – mestieri e relative corporazioni –, che si riferiscono ad attività fortemente rappresentative del lavoro che si svolgeva all'interno dell'Arsenale: vi sono raffigurati i *marangoni da nave* (falegnami addetti alla costruzione del fasciame) e i *Calafati* (addetti ad assemblare le parti lignee delle navi e a renderle impermeabili).

Nell'insegna dei Marangoni sono visibili, tra gli stemmi, le immagini di San Foca, protettore dell'arte, e San Marco, patrono della città e simbolo del potere politico. Nella parete di fondo il *Ritratto di Angelo Memmo IV in veste di Capitano da Mar* (la carica più alta della flotta veneziana), con il

sontuoso costume in damasco
rosso broccato d'oro e le
insegne del comando, dipinto
eseguito da Alessandro
Longhi nel 1769, e nella
vetrina tre *modelli lignei*
tardosettecenteschi, usati in
Arsenale per la progettazione
e la costruzione delle navi.

*Alessandro Longhi, Ritratto
di Angelo Memmo IV in veste
di Capitano da Mar.*

Alla pagina accanto
*Antonio di Natale, Pianta
dell'Arsenale.*

14. Venezia e il mare

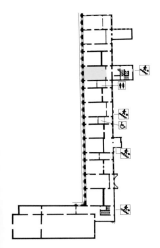

Questa sala, dominata
dall'imponente *Leone
marciano* in legno (secolo
XVII) proveniente da una
delle cantorie della Basilica
di San Marco, è dedicata
alla grande potenza militare
della flotta veneziana e alle
più clamorose sconfitte inflitte
ai nemici della Repubblica.
La *Battaglia di Chioggia*,
tela settecentesca
di Alessandro Grevenbröch,
rievoca la battaglia conclusiva
della dura lotta tra Genova
e Venezia per la supremazia
navale e commerciale
sull'Adriatico e sui Dardanelli
durante il XIV secolo. Questa
battaglia, combattuta
tra il 1378 ed il 1379, vide
i Veneziani vittoriosi contro
i Genovesi, costretti
ad arrendersi presso
Chioggia, di cui si erano
impadroniti.
I due dipinti raffiguranti lo
*Scontro navale presso le isole
Curzolari*, ricordano
un episodio della decisiva
battaglia di Lepanto (1571)
combattuta per il dominio

*Scuola veneta del XVI secolo,
Battaglia di Lepanto.*

dell'isola di Cipro dalle flotte veneziane, unite a Pio V e Filippo II di Spagna, contro l'espansione dell'Impero Ottomano. La pace firmata nel 1573 tra Venezia e i Turchi, concesse Cipro a questi ultimi, in cambio della ripresa dei commerci tra Venezia e il Levante. Gli schieramenti, veneziano e turco, prima dello scontro navale vengono illustrati ancora nelle due grandi tele della parete di fronte

all'ingresso, opere di pittore veneziano del Seicento. Nelle vetrine al centro sono esposti *modelli di galere*, le temibili navi, veloci e manovriere, impiegate in guerra e nel pattugliamento delle acque veneziane e pure usate per scortare, lungo le rotte commerciali, le preziose mercanzie imbarcate sulle navi da carico. Infine i due *Globi* celeste e terrestre, due pezzi rari della vasta produzione

del cartografo veneziano Vincenzo Coronelli (1650-1718) frate francescano, cosmografo ufficiale della Repubblica di Venezia, che visse e operò nel convento dei Frari.

Anonimo, Battaglia di Lepanto.

15. Armeria Correr

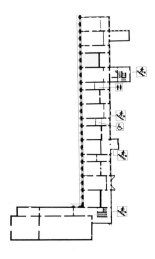

Inizia in questa sala la parte dedicata alla Venezia in guerra, alle sue imprese e alla sua potenza militare, sezione che culmina nell'ampia serie di cimeli dedicati all'ultimo grande condottiero veneziano, quel Francesco Morosini che sostenne un infinito numero di assalti contro i Turchi, conquistò la Morea meritandosi grandi onori e il titolo di Peloponnesiaco (conquistatore del Peloponneso), strinse d'assedio e conquistò Atene – provocando la distruzione del Partenone – e, divenuto doge, morì durante la sua ultima

spedizione contro i Turchi, a Napoli di Romania (l'attuale Nauplia, in Grecia) nel 1694. Le armi italiane e europee raccolte in questa sala provengono dal ricco fondo di Teodoro Correr. Sono esposte armature dei secoli XVI e XVII e armi bianche, da botta e da taglio, dei secoli XIV, XV, XVI. Fra le *armature*, da sinistra, notevole quella da nave con corazza incisa e la mezza armatura da uomo d'arme alla "massimiliana" con punzone di Norimberga; interessante, invece, per quanto riguarda l'organizzazione del territorio veneto di Terraferma,

l'armatura da munizione secentesca, ultima a destra, con la scritta, sul petto, TER. õ VIC.NO (territorio vicentino).
Nella vetrina di destra, fra le *armi da botta*, particolarmente interessante il "martello d'arme" con lo stemma dei Carraresi di Padova databile al 1380 circa. Fra le *armi da taglio*, esposte nella prima vetrina di sinistra, pregevolissima la guarnitura da caccia formata da tre coltelli e astuccio, recante lo stemma di Boemia, con il punzone (una freccia d'oro incastonata nella lama) di Hans Sumersperger (attivo 1492-1498), armaiolo di Massimiliano I d'Asburgo. Nell'altra, notevoli anche le due *cinquedee* cinquecentesche (stelo a lama triangolare) con stemma Morosini e Loredan. Curiosa la *chiave in ferro* del XVI secolo che nasconde un meccanismo atto a scagliare dardi, probabilmente avvelenati.
Sulla parete di fondo un *tessuto turco*, forse telo di tenda ottomana, con motto del Corano scritto in arabo.

Veduta dell'Armeria Correr.

16. Armeria Correr

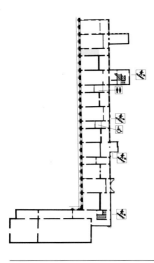

Continua in questa sala l'esposizione dell'Armeria Correr. Alle pareti sono collocati alcuni *falcioni da parata* di fabbrica veneziana del tardo Cinquecento; a terra un insolito *cannone da nave* a dodici bocche da fuoco, detto "organo", del XVII secolo.

Nella vetrina sono conservati rari esemplari di armi da fuoco corte e lunghe, europee e turche: notevole la *coppia di pistole bresciane* a ruota autocaricantesi, databili al 1640 circa e la *piccola pistola bresciana*, di squisita fattura, con canna firmata LAZARINO COMINAZO, databile al 1670 circa. Molto interessante, dal punto di vista tecnico, un archibugio a vento (ad aria compressa) del XVI secolo,

con lo stantuffo di carica celato nel calcio, dove il meccanismo a ruota ha solo funzione decorativa. Da notare anche la pistola a ruota interna di fabbricazione tedesca (fine XVI secolo) con decorazioni in osso inciso con scene di caccia, animali e motivi floreali.

17. Armeria Morosini

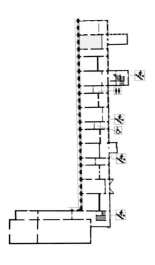

Ha inizio in questa sala l'esposizione degli oggetti appartenuti o legati alle gesta di Francesco Morosini, il Peloponnesiaco, doge dal 1688 al 1694, anno della morte. Tutti gli oggetti esposti provengono dal palazzo della famiglia Morosini a Santo Stefano e furono acquistati dal Museo nel 1895.

Al centro della sala è collocato il rarissimo *triplice fanale da galera* (secolo XVII), che originariamente si trovava sulla poppa della galera usata da Francesco Morosini per la sua ultima spedizione contro i Turchi a Napoli di Romania; alle pareti alcune *bandiere turche* che facevano parte del bottino di guerra del Morosini e in basso, su mensole, alcuni *modellini di cannoni* dell'epoca. A destra alcuni *cannoncini da nave e da campagna*, veneziani e turchi, del XVII secolo e

archibugi da terra montati su treppiedi (forcine). A parete grande *stemma ligneo* della famiglia. Verso le finestre sono esposti sette dipinti, opera del pittore secentesco Alessandro Piazza, che ricordano diversi episodi della vita del condottiero. Fra questi si segnalano *Lo sbarco del doge vittorioso a San Nicolò del Lido*, *Lo sbarco di Francesco Morosini a Palazzo Ducale* al suo ritorno vittorioso dopo la campagna in Morea, *Il trasporto funebre del doge da Napoli di Romania*, *La consegna al Doge dello stocco benedetto* nel presbiterio della chiesa di San Marco.

Alla pagina accanto
Alessandro Piazza,
La partenza dal bacino
di San Marco di Francesco
Morosini per il Levante,
intero e particolare.

18. Armeria Morosini

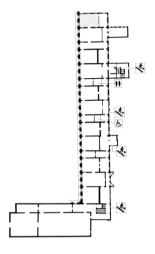

La gloria bellica del Morosini rifulge nella grande sala dei suoi cimeli e dei suoi bottini. Di fronte all'ingresso, a parete, è collocato il *busto* in marmo, replica del bronzo eseguito nel 1687 dallo scultore genovese Filippo Parodi, che si trova nell'Armeria di Palazzo Ducale. Nella parete di destra, entro un comparto a stucco che riproduce quello originario di Palazzo Morosini, è collocato il *Ritratto del doge a cavallo*, opera vivacemente idealizzante la figura del doge guerriero firmata da Giovanni Carboncino, databile verso il 1688. Alle pareti sono collocati alcuni trofei di guerra, composti di scudi nella caratteristica forma a "rotella", appartenuti a guerrieri turchi. Particolarmente interessanti le armi e gli oggetti esposti nelle vetrine. Nella vetrina di destra sono conservate armi bianche orientali, corte e lunghe; particolarmente pregevoli il *kriss del Malabar* con impugnatura in avorio raffigurante la dea Parvati, lo *shishak* (elmo) turco in ottone, la *karabela* (sciabola) russa tempestata di pietre preziose, il *sipar* (scudo rotondo) persiano ageminato in oro e la serie di *khanjari* (pugnali) con impugnature in argento traforato. Nella vetrina di sinistra sono esposte armi turche e veneziane. Si segnalano la *celata alla veneziana* da mostra e la *spada* che ornavano lo stemma ligneo Morosini nel Palazzo di Santo Stefano, esposto nella sala precedente. Di fronte, in un'altra vetrina, armi da fuoco italiane e francesi, corte e lunghe, tutte di provenienza Morosini. Di particolare importanza dal punto di vista tecnico, oltre che per la pregevole fattura, la guarnitura composta da una coppia di pistole e da un *archibugio*, a pietra focaia

con quattro canne girevoli, di manifattura francese della seconda metà del XVII secolo; molto bella inoltre la *coppia di pistole da arcione* a pietra focaia con la coccia a testa di moro (Francia 1660 circa).

Nell'ultima vetrina, ancora *armi da fuoco turche* con preziosi inserti in avorio, osso e corallo.

Al centro sala, verso le finestre, due *Globi*, terrestre e celeste, dell'olandese Guglielmo Blaeu del 1622,

provenienti dal monastero camaldolese di San Michele in Isola; segue un altro *Globo* terrestre di Vincenzo Coronelli con dedica a Francesco Morosini datato 1688.

Alla pagina accanto
Scudi turchi.

19. Sala Morosini

Ancora la figura del Morosini costituisce il centro di questa sala dedicata a oggetti a lui direttamente appartenuti e dotati di grande forza evocativa; il *corno dogale*, il *bastone del comando*, la *spada* che reca inciso sulla lama il calendario (manifattura di Norimberga, secolo XVII), il celebre, curioso *libro di preghiere* nel quale è inserita una piccola pistola per difesa personale. Dalla nave ammiraglia del doge provengono l'*inginocchiatoio* in legno intagliato e dorato e il vessillo di seta, dipinto da Prete Vittorio da Corfù (secolo XVII) dove sono raffigurati *Cristo in croce con la Madonna Nicopeia, San Marco e altri santi, il Leone marciano* e *lo stemma Morosini*. Alle pareti completano la sala due tele di Gregorio Lazzarini: *La religione offre al doge lo stocco e il pileo* e *Il merito offre al Morosini i bastoni del comando*, repliche delle pitture dell'Arco Morosini a palazzo Ducale, e il *Ritratto di Francesco Morosini in abito dogale da guerra*, opera non priva di efficacia nei modi

di Bartolomeo Nazzari, risalente probabilmente alla metà del Settecento.

Modi di Bartolomeo Nazzari, Ritratto di Francesco Morosini.

20. Corridoio di passaggio

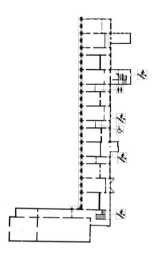

Lungo la parete destra si susseguono tre ritratti: di Sebastiano Bombelli (1635-1719) i ritratti del *Doge Silvestro Valier* e della moglie *Elisabetta Querini Valier*, ultima dogaressa incoronata, che porta sul capo un corno dogale di minori dimensioni rispetto a quello del doge. Il doge Valier stipulò la pace di Karlowitz (1699), che ponendo fine ai conflitti con l'esercito turco, durante i quali perse la vita Francesco Morosini, sanciva temporaneamente la conquista di buona parte del Peloponneso. Al centro, firmato e datato (1778) da Lodovico Gallina, il *Ritratto del doge Paolo Renier*,

penultimo doge di Venezia dal 1779 al 1789, sotto il cui dogado vennero terminate le difese a mare dei lidi di Pellestrina e Chioggia con blocchi di pietra d'Istria, i cosiddetti "murazzi".

Lodovico Gallina, Ritratto del doge Paolo Renier.

21, 22. Sale Morosini

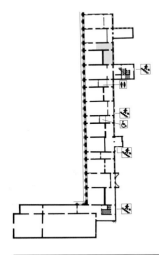

In queste ultime due sale dedicate al Morosini sono conservati alcuni dipinti del nutrito gruppo proveniente da palazzo Morosini a Santo Stefano, raffiguranti gli episodi bellici cui il comandante veneziano prese parte. Queste tele tardosecentesche, certamente opera di più mani e tradizionalmente assegnate a un pittore vicino ai modi di Francesco Monti, presentano una grande vivacità narrativa, un ottimo gusto per il paesaggio, che ne rivelano un significativo valore artistico oltreché storico.
Nelle vetrine sono esposti alcuni interessanti *strumenti scientifici e per la* *navigazione*: si segnala, nella prima saletta, una *meridiana a cubo* di Beringer Scyfred (secolo XVIII); nella sala successiva, una *meridiana a colonnetta* d'avorio, opera di Fra Clemente da Venezia (1638) e un'altra *meridiana a colonnetta* d'avorio del francese Le Tellier (secolo XVII); un *orologio solare ad ago magnetico* in avorio lavorato a bulino, datato 1612 e firmato Lienhart Miller operante a Norimberga. Tra gli strumenti in metallo, un *astrolabio con bussola* datato 1671, una bella *sfera armillare* e due *goniometri* settecenteschi di fabbricazione parigina, firmati rispettivamente Rousselof e Lasnier.

Quadreria

Usciti dalla sala, a sinistra si accede per la scala interna alla Quadreria, al secondo piano. Nell'andito di accesso sono conservate due statue femminili, significativi esemplari d'arte ellenistica, provenienti dalla raccolta Morosini e una curiosità di questa parte del museo: la statua lignea dorata, copia ottocentesca del *Ritratto all'orientale di Marco Polo*, che si trova nel Tempio dei Geni a Canton.
La parete della scala è adorna di un "grande stemma" in rame sbalzato della famiglia Valmarana.
Al secondo piano delle Procuratie Nuove si sviluppa nel nitido allestimento di Carlo Scarpa la Quadreria del Museo Correr. Si tratta di un nutrito gruppo di dipinti – alcuni dei quali celebri capolavori – che ricostruisce, "per exempla", le vicende della pittura veneziana dalle sue origini più remote al primo Cinquecento, cioè fino alla rivoluzione artistica giorgionesca e tizianesca, che ebbe a imprimere una svolta radicale a tutta la storia della pittura, e, più in generale, alle forme artistiche e ai modelli culturali affermati e vincenti nell'area veneziana e poi veneta.
La Quadreria, pur riordinata ripetutamente nel corso della storia del Museo e dei vari passaggi di sede dello stesso, ancora si basa e in qualche modo è fedele alla vecchia raccolta di Teodoro Correr: quella raccolta che per casi fortuiti o per accorta politica di acquisti del nobile Teodoro, già poteva annoverare tre Giovanni Bellini, un Antonello da Messina, un Cosmè Tura, due Carpaccio, svariati primitivi (per non citare la straordinaria

Alle pagine seguenti
Pittore ferrarese/bolognese, Gentiluomo dal berretto rosso.

Pittore veneto della fine del XV secolo, Ritratto di giovane con pelliccia.

raccolta dei Longhi, dei Guardi e, in generale, dei pittori settecenteschi oggi a Ca' Rezzonico). Lasciti, doni, acquisizioni e depositi hanno via via arricchito questo panorama e hanno consentito non solo e non tanto di dar vita a una galleria con opere di prima qualità, ma anche di formare una raccolta entro la quale fosse possibile vedere sviluppato un organico discorso circa le trasformazioni e le evoluzioni di una parte non piccola della storia culturale veneziana, con la proposta di citazioni e raffronti con altri più o meno contigui fatti d'arte e aree culturali.

Oggi la Quadreria Correr è sicuramente una delle rassegne più ricche e suggestive della pittura veneziana delle origini, del Quattro e del primo Cinquecento: la sua visita, un passaggio sicuramente obbligato per quanti vogliono conoscere l'arte veneziana e una non ignorabile porzione della sua vicenda culturale.

23, 24. Pittori veneto-bizantini

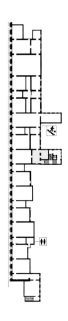

La prima delle salette della Quadreria conserva un cimelio di inestimabile valore storico e documentario: una cassa sepolcrale proveniente dal monastero dei Santi Biagio e Cataldo alla Giudecca che, all'interno del coperchio, porta raffigurata la Beata Giuliana di Collalto, morta nel 1262, e i due santi titolari del monastero: si tratta forse del primo esempio a noi giunto di pittura veneziana su tavola; l'autore è presumibilmente un artista locale legato in termini diretti a un ambito culturale non strettamente bizantino, vicino a modelli veneti di ascendenza romanica. Il lavoro è tardoduecentesco (ma le decorazioni esterne, peraltro assai rovinate, sono aggiunte settecentesche), e rivela, nella sua apparente semplicità, come nell'accettazione dei moduli figurativi canonici, notevole efficacia ed espressività, oltre a un già maturo gusto coloristico.

Alla parete compaiono: una *Crocifissione e santi* di pittore veneziano di cultura bizantina, il cui linguaggio appare per certi versi prossimo ai mosaicisti marciani impegnati, sulla metà del Trecento, nella decorazione della cappella di Sant'Isidoro. Le due tavole con *Sant'Andrea* e *San Giovanni Battista* sono opere interessanti, risalenti alla metà del XIV secolo, in cui concorrono influssi bizantini e tracce della tradizione pittorica macedone. Della stessa epoca può dirsi il rilievo in marmo con *Cristo crocifisso, san Giovanni Evangelista e la Madonna*.

Alla pagina accanto
Pittore veneto-bizantino della metà del XIV secolo, Crocifissione e santi.

Pittore veneto del XIII secolo, Cassa della Beata Giuliana.

25. Paolo Veneziano e la pittura del primo Trecento

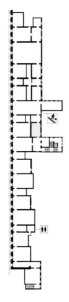

Paolo Veneziano, Sant'Agostino, san Pietro, san Giovanni Battista, san Giovanni Evangelista, san Paolo, san Giorgio.

La pittura veneziana ha nel suo periodo d'esordio – allorché s'affranca dai moduli bizantini e mostra di risentire l'influsso della cultura continentale – la figura centrale in Paolo Veneziano. Nato alla fine del Duecento, egli è attivo e documentato fin dal 1310 (ancona a San Donato di Murano): conoscerà un periodo di grande ed attenta partecipazione alle correnti più sensibili e vicine alla pittura padana, mentre, più tardi, si rivolgerà all'antica matrice bizantina, ancora attiva e prevalente nel mondo lagunare. Di Paolo, in un momento tardo della sua produzione e quindi pienamente dentro un orizzonte neobizantino, sono i *Sei santi* entro cornice gotica. Si tratta delle parti laterali di un polittico, di cui si è perduto il settore centrale, acquistate all'inizio del secolo dal Museo e provenienti dalla chiesa parrocchiale di Grisolera, presso San Donà di Piave. Pittura colta e raffinata, quella di Paolo: il segno è netto, gli schemi iconografici quelli della tradizione

bizantina in Venezia: il colore è vivacissimo, ma non si può ignorare l'attenzione posta dal maestro nel costruire le sue figure e nel conferire loro vivacità e grazia con attitudini che hanno sicuramente conosciuto l'esperienza della cultura gotica. Ancora di Paolo il *San Giovanni Battista*, frammento di composizione sicuramente assai più ampia, forse originariamente nell'antica cattedrale di San Pietro di Castello. Lavoro singolare – tra l'altro assai guasto e pesantemente ridipinto prima delle ultime puliture e restauri – nel quale paiono quasi scontrarsi le differenti linee figurative che esistono e operano in Paolo: quella bizantina nel volto e una più sentita e sofferta adesione al gotico centroitalico nella figura emaciata e vivamente colorata.
Nella sala, da sinistra, si può ancora vedere il trittico a portelle apribili con la *Crocifissione, Storie di Cristo e della Vergine, Figure allegoriche e mistiche, scene scritturali, Profeti e Padri*

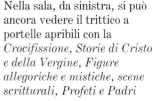

della Chiesa. Opera complessa e assai articolata nella sua composizione fortemente simbolica dove compare un intero repertorio di figurazioni tipiche della cultura e dell'"imagerie" sacra tra Due e Trecento. Vi si notano caratteri forse più vicini alla pittura centroitalica che veneziano-bizantina e, nelle storie dell'anta destra, un qualche influsso giottesco. Nell'altro trittico a portelle apribili con al centro *Madonna* e ai lati *Pietà e Santi* è piuttosto leggibile lo stretto rapporto che lega la cultura greco-cretese con l'ambiente artistico veneziano. Di un artista cretese-veneziano è la singolare *Madonna in trono*

col Bambino: coeva è anche la *Madonna col Bambino* (dopo i dipinti di Paolo) da assegnare a pittore dalmata di cultura grecizzante.
A cavalletto, tra le finestre, due tavole risalenti alla seconda metà del Trecento: *San Pietro*, opera di notevole plasticità, il cui autore pare avvicinarsi a tipologie care a Paolo Veneziano, e *San Giovanni Battista*, dove invece altri influssi e tendenze testimoniano le linee di svolgimento della pittura veneziana del secolo: da un lato sono presenti richiami all'arte di Lorenzo Veneziano, dall'altro la conoscenza di modi toscani, vicini forse a quelli di Lorenzo Monaco.

Paolo Veneziano,
San Giovanni Battista.

26. Lorenzo Veneziano

Se un artista come Paolo Veneziano mostra – anche nell'involuzione neobizantina del suo più tardo periodo – come la pittura veneziana sia ancora fortemente dibattuta tra i due diversi filoni che in essa coesistono – quello bizantino e quello continentale – con Lorenzo Veneziano, attivo tra il 1356-1359 e il 1370, appare invece ormai sufficientemente consumato il superamento dei modi bizantini dell'arte veneziana delle origini in favore del linguaggio gotico proveniente dalla terraferma. Di Lorenzo, il Museo Correr possiede due opere – qui esposte – di notevole interesse. La prima è un comparto centrale di polittico, perduto nelle altre sue parti, con *Figure e storie di santi* (a sinistra), che conserva ancora intatta l'originale inquadratura a forma di trifora gotica: lavoro proprio di una personalità già

pienamente autonoma e originale sia nell'uso dei colori, sia nella stessa costruzione delle scene e, in particolare, delle tre superiori con episodi della vita di san Nicola. Di fronte, la seconda: *Gesù consegna le chiavi a san Pietro*, anch'essa parte centrale di un polittico (le cui altre parti si trovano a Berlino) firmato e datato gennaio 1369 ("more veneto" 1370). È una delle opere più significative del maestro: il Cristo in trono circondato da santi e angeli appare sicuramente condividere ricerche linguistiche e schemi compositivi diffusi nella terraferma padovana e anche emiliana; gli apparati di corredo (ad esempio, l'architettura del trono) parlano ormai un linguaggio gotico; e un gotico già sensibile all'internazionale può vedersi nel bel manto del Cristo (non si potrebbero

tuttavia non rilevare ricordi
di più rigide e gravi maestà
bizantine).
I quattro santi sul fondo
erano tradizionalmente
attribuiti allo stesso Lorenzo
Veneziano, ma ora vengono
assegnati piuttosto alla mano
del suo seguace Jacobello
di Bonomo, attivo a partire
dal 1384.

Lorenzo Veneziano,
Figure e storie di santi,
intero e particolare.

27. Gotico fiorito

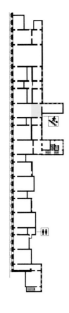

Il gotico ha conosciuto a Venezia una stagione felice e assai duratura, tanto da divenire per molti aspetti una sorta di linguaggio artistico nazionale. È soprattutto però nell'architettura (civile e privata più che religiosa) e nella costruzione della forma e dell'immagine della città che questo stile e questa cultura hanno segnato le loro manifestazioni più alte e compiute. A questa stagione felice del gotico veneziano appartengono i materiali riuniti nella grande sala, suggestivamente ripartita dalla bella transenna marmorea gotica, di modi trecenteschi. Il *frammento di portale* proviene da Palazzo Bernardo a San Polo; i *tre pinnacoli* in pietra d'Istria è probabile fossero originariamente parte di un paliotto o di un altarolo: denotano influssi francesi e sono forse databili alla metà del XIV secolo. Un vero capolavoro è la piccola *statua marmorea* del doge Antonio Venier, inginocchiato e – secondo riconoscibili schemi iconografici – originariamente reggente uno stendardo. Non si tratta della raffigurazione generica di una figura barbuta rivestita di paramenti dogali: ci troviamo invece davanti a un vero e proprio ritratto, carico di grande forza interiore, così teso e così espressivo nell'atteggiamento di raccolta intensità, pur senza rinunciare alla gravità arcana e ai segni formali della carica ricoperta. Autore ne è lo scultore Jacobello dalle Masegne, l'artista che ebbe,

Jacobello dalle Masegne,
Il doge Antonio Venier.

Pittore veneto del XIV secolo,
Allegoria delle Virtù,
particolare.

tra l'altro, a realizzare
l'*Iconostasi* di San Marco.
Di grande importanza sono
i *due frammenti di*
decorazione a fresco rinvenuti
all'inizio di questo secolo
durante alcuni lavori in una
casa a San Giuliano, vicino
a San Marco. Strappati e
applicati su pannello, furono
acquistati dal Museo.
L'assoluta rarità, che ne fa
pezzi praticamente unici,
li rende tra l'altro
documentazione insostituibile
per l'arte non meno che per la
storia del gusto e dei modi di
concepire e connotare lo
spazio del vivere domestico
nel medio Trecento
veneziano.
In questi frammenti sono
raffigurate quattro figure
allegoriche di virtù (*Carità,*
Costanza, Speranza e
Temperanza) recanti ciascuna
gli attributi conseguenti alle

rispettive opere, sedute entro
scranni gotico-fioriti con
edicolette e piccole statue.
Sicuramente vi è traccia in
quest'affresco della
trecentesca pittura padovana
e, più in generale, di quella
della terraferma veneziana,
che rappresentò, rispetto alla
più attardata e isolata cultura
lagunare, elemento di
sollecitazione e di
aggiornamento sulle linee più
avanzate della cultura
figurativa padana e
centroitaliana.
Ancora al gotico sono
dedicate le sale successive
della Quadreria, indagato
nelle sue varie componenti
e matrici e nelle declinazioni
che questo linguaggio assume
nel momento in cui viene a
contatto con i differenti filoni
della pittura a Venezia,
dove tradizione bizantina,
maniera cretese, residui

romanici soprattutto nella
grande officina marciana si
mescolano ai più aggiornati e
moderni contributi di artisti a
giorno delle culture figurative
presenti nel resto della
penisola.

28.1 Pittura gotica

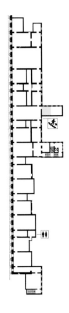

I dipinti esposti nella prima parte della sala risalgono alla seconda metà del Trecento e all'inizio del secolo successivo. Al centro campeggia la grande *Croce* dipinta su entrambi i lati, secondo l'uso delle croci processionali, sagomata e lobata con gusto gotico. Più arcaiche le rappresentazioni delle figure, soprattutto il Cristo, debitore nei confronti della cultura bizantina e dei mosaicisti marciani.

Alle pareti, da destra sono esposti: *Madonna e due santi*, interessante dipinto che solo recentemente ha trovato la giusta collocazione nel catalogo del cosiddetto "Maestro dell'Arengo", pittore riminese attivo nella seconda metà del Trecento; *Incoronazione della Vergine*, parte centrale di una composizione più ampia, che comprendeva molte figure di santi e ridotta nelle dimensioni attuali nel corso dell'Ottocento, opera di un artista di cultura bolognese verso la fine del secolo: *Crocifissione con santi, apostoli, profeti e figurazioni allegoriche*, costruita secondo un composito schema che unisce caratteri ancora tardobizantini con evidenti spunti iconografici gotici; il linguaggio pittorico e l'uso del colore rinviano invece a contatti emiliani e nordici; ancona a comparti con *Annunciazione e i santi Giovanni Battista e Paolo*; sulla cimasa *Morte della Vergine*: si tratta di un frammento di polittico di cui si è perduta la parte centrale, da assegnare ad un pittore assai vicino ai modi dell'autore della precedente

Crocifissione. Seguono
un piccolo altarolo portatile
a portelle mobili con
*Crocifissione e Madonna
col Bambino*; nei comparti
laterali *Annunciazione
e santi* da assegnare ad un
pittore veneto di cultura
gotica, anch'egli sensibile alla
lezione dei maestri riminesi,
cioè di una scuola pittorica tra
le più attive dello sviluppo
della cultura figurativa
veneziana del Trecento.
Il successivo polittico con
Madonna col Bambino e
Storie di Cristo e santi è già
collocabile cronologicamente
all'inizio del XV secolo.

Alla pagina precedente
*Veduta della sala della
pittura gotica.*

*Pittore veneto-emiliano
del XIV secolo, Crocifissione
con santi, apostoli, profeti
e figurazioni allegoriche.*

28.2 Stefano Veneziano

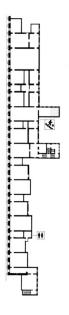

La seconda parte della sala è
dedicata agli sviluppi estremi
del Gotico nella cultura
artistica lagunare, con
particolare riferimento alla
singolare personalità di
Stefano Veneziano – noto
anche col nome di "Pievan
(Plebanus) di Sant'Agnese" –
attivo tra il 1369 e il 1385;
questi mostra inizialmente
affinità e disposizioni di
cultura con Paolo Veneziano,
ma se ne distacca tuttavia,
acquistando maggiore e più
libera consapevolezza delle
possibilità del linguaggio
gotico, fino a poter essere
accostato a pur timide
correnti di Gotico
internazionale. Di Stefano
Veneziano, collocate sulla
parete che chiude la sala,
sono due importanti opere: a
sinistra la giovanile *Madonna
col Bambino in trono,*

firmata e datata 1369, in cui
sono evidenti influssi di Paolo
e del Guariento, ma
soprattutto domina,
nell'impaginazione dell'opera
e nel gusto per la
decorazione, la poetica gotica.
A destra, *San Cristoforo,*
parte di un polittico
originariamente nella Scuola
dei "forneri" alla Madonna
dell'Orto, i cui altri tre
comparti si trovano ora nella
chiesa di San Zaccaria.
L'opera, firmata e datata
1385, è cronologicamente
l'ultima a noi nota di Stefano
e si segnala per l'imponente,
quasi monumentale vigore
plastico della figura.
Altri interessanti lavori
completano la
documentazione sulla pittura
gotica trecentesca:
nell'*Arcangelo Michele*
si fanno evidenti i richiami

ai moduli della terraferma, tanto da suggerire la bottega del padovano Guariento; dello stesso ambito, ma certamente più tarda (inizi del secolo XV) è l'altra piccola tavola con *Quattro santi*, in origine predella di polittico andato perduto. Ancora di ambiente padovano del primissimo Quattrocento appaiono le successive tre tavole con *Madonna Annunciata, Santo profeta* e *San Michele Arcangelo*, parti di un polittico smembrato e arbitrariamente riunito nel corso dell'Ottocento, e i *Quattro santi*, anch'essi frammenti di polittico, che possono essere assegnati a Jacobello da Bonomo (fine del secolo XIV). Di diverso ambito culturale l'autore della successiva tavoletta con i *Santi Cristoforo, Bernardino e Rocco*: pare trattarsi di opera di un pittore veneto fortemente influenzato dai coevi esempi emiliani.

Stefano Veneziano, Madonna col Bambino in trono.

Stefano Veneziano, San Cristoforo.

Bottega del Guariento, L'Arcangelo Michele.

29.1 Il Gotico internazionale: le origini

Lasciata cadere ormai – se non in attardati e meno interessanti decoratori e madonneri – la cultura figurativa di matrice bizantina e inseritasi nel grande e variegato mondo dell'universo gotico, Venezia vive con partecipazione non marginale la stagione internazionale di questo stile. Sono anche gli anni della grande architettura veneziana fiorita e, a suo modo, fiammeggiante, che adotta e rielabora suggestioni e declinazioni linguistiche d'oltralpe, fino a dar vita però ad un autonomo e originalissimo sistema di segni, di forme, di espressioni

che costituiranno il peculiare contributo veneziano alla stagione del Gotico.

Il pieno Gotico internazionale giunge a Venezia nei primi decenni del XV secolo (ma avvisaglie e annunci si erano scorti già nella pittura di Lorenzo e di Stefano), filtrato soprattutto tramite le esperienze dei pittori veronesi: a tale scuola è da assegnare la *Madonna col Bambino nel giardino*. È la cultura raffinata e cortese dell'internazionale che suggerisce quest'elegante impaginazione del dipinto, dove l'attenzione alla natura si fa quasi miniaturistica e sottilmente decorativa (e non

Stefano da Zevio (attribuito), Angeli musicanti.

si può tuttavia mancare di sottolineare la contemporanea presenza di suggerimenti toscani, soprattutto lippeschi). Stefano da Verona (o da Zevio), il più importante tramite tra la cultura nordica e quella veneta, è presumibilmente l'autore della tavola dipinta su entrambi i lati con un gruppo di *Angeli musicanti* (sul recto) e *San Cosma*

(sul verso). La tavola era in origine la portella destra di un trittico, poi smembrato. Sulla parete di sinistra sono collocati due dipinti anonimi: *Natività*, che conserva ancora il fregio originale a pastiglia, e *Madonna col Bambino, san Giovanni Battista e donatore*, in cui appaiono influssi di Jacobello del Fiore e di Giambono. Sulla parete di fronte all'ingresso, due

piccole tavole del veneziano Francesco de' Franceschi con il *Martirio e la Morte di san Mamante*, originariamente parte di un polittico. Nel Franceschi, pittore attivo ormai nel pieno secolo XV, si sentono tuttavia anche nuovi e più articolati influssi: del Giambono da un lato, ma anche delle personali declinazioni dell'arte di Antonio Vivarini.

29.2. Il Gotico internazionale: i protagonisti

La poetica goticointernazionale e l'affinamento del conseguente linguaggio pittorico toccano i punti più alti e conseguono i risultati più compiuti e maturi

nell'opera di Michele Giambono e di Jacobello del Fiore. Michele fu personalità ricca e di articolata attività (fu anche mosaicista), attento e sensibile all'opera di Gentile

Jacobello del Fiore,
Madonna con Bambino.

Maestro dei cassoni Jarves,
Storie di Alatiel, intero
e particolare.

da Fabriano e dello stesso
Pisanello: il loro influsso
traspare più o meno
direttamente nella sua
produzione. È in particolare
al linguaggio gentilesco che
può essere avvicinata la
piccola raffinata,
elegantissima *Madonna col*
Bambino e cardellino. Dallo
sfondo rabescato a tutti i
dettagli del dipinto appare la
felice vena narrativa del
Giambono, che dispone anche
di una delicata sottile
tavolozza.
Di Jacobello, attivo dal 1400
al 1439, la *Madonna col*
Bambino, firmata; pur se non
in ottimali condizioni di
conservazione, l'opera
mantiene una squisita
raffinatezza ed è databile
al terzo decennio
del Quattrocento.
Appare a questo punto
possibile operare dei raffronti
con le opere dei pittori
centroitaliani legati alla
cultura internazionale e qui
presentate. Matteo
Giovannetti (1300 circa-1367),
viterbese, aiuto di Simone
Martini, noto soprattutto per

essere succeduto al maestro
nella decorazione del palazzo
papale di Avignone, è l'autore
delle due tavole con i *Santi*
Ermagora e Fortunato, parti
laterali di un trittico che
comprendeva una *Madonna*
col Bambino, ora in collezione
privata a Parigi.
I due frontali di cassone, che
raccontano le *Storie di*
Alatiel, tratte dal
Decamerone di Giovanni
Boccaccio, sono invece
ascrivibili a un pittore
toscano attivo nella prima
metà del Quattrocento, il così
detto "Maestro dei cassoni
Jarves", dal nome della
collezione di New Haven in
cui sono conservati altri
frontali simili a questi.

30. Cosmè Tura

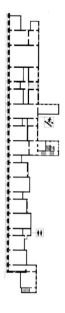

Non solo da Padova e dalla Toscana provenivano le più attive sollecitazioni per la cultura veneziana a recepire le novità fiorentine e ad aprirsi al rinnovato clima umanistico-rinascimentale. In particolare tocca a Ferrara, divenuta centro d'arte e di cultura di prima grandezza, trasmettere sensibilità, linguaggio, interessi figurativi a Venezia.
Tra le personalità di maggior spicco del medio e tardo Quattrocento ferrarese emerge senza dubbio la figura di Cosmè Tura, che seppe riunire nel proprio personalissimo stile le principali influenze e sollecitazioni artistiche presenti nella città padana: dalla monumentale volumetria pierfrancescana alle innovazioni colte, archeologiche e storiche della scuola padovana, riformata – tra l'altro – dalla presenza e dal magistero di Donatello, fino all'attenzione per il colorismo nordico importato da Rogier van der Weyden. Del Tura, la cui attività lasciò tracce sensibili e centrali anche nell'arte veneziana, è la straordinaria piccola *Pietà*, che risale circa al 1468, opera di grande suggestione poetica e

Cosmè Tura, Pietà.

struggente "pathos",
presente già nella collezione
personale di Teodoro Correr.
La scena della *Pietà* si svolge
su uno sfondo segnatamente
archeologico che si rianima
puntualmente alle
sollecitazioni visive imposte
dal gruppo di Cristo e della
Madonna in primo piano. La

monumentalità austera e
dolente di questi protagonisti
dichiara esplicitamente il
pieno controllo di Cosmè sulle
tecniche prospettiche e sui
rapporti dei volumi nello
spazio atmosferico. Evidenti
sono i richiami all'arte
fiamminga nella tipologia del
volto della Madonna, nei

colori e nella meticolosa resa
di ogni accurato dettaglio.
Ad un pittore molto vicino al
Tura (forse Marco Zoppo) va
assegnato l'incisivo *Ritratto
d'uomo*, notevole per
l'estrema finezza e la cura dei
particolari, che ancora una
volta rinviano ad una
ascendenza fiamminga.

31.1. I ferraresi

Ancora pittura ferrarese
quattrocentesca, a
sottolineare l'importanza di
questo filone artistico per la
formazione dei maestri
veneziani, troviamo con il
Ritratto di giovane,
assegnato tradizionalmente al

ritrattista della corte di
Ferrara, Baldassarre Estense
e più recentemente attribuito
ad Antonio da Crevalcore:
colori smaglianti come lacche
e linee tagliate con la nettezza
dei coralli o delle pietre dure;
miniaturistica descrizione

*Baldassarre Estense o
Antonio da Crevalcore (?),
Ritratto di giovane.*

Pietro da Vicenza, Cristo alla colonna.

Francesco Benaglio (attribuito), Madonna col Bambino.

dell'insieme; esattezza documentaria nella abbagliante luminosità del paesaggio; il *Ritratto di donna*, presumibilmente della metà del secolo XV, è lavoro fortemente influenzato dalla ritrattistica di Pisanello e va forse assegnato ad Angelo Maccagnino; infine la nitida rarefatta *Morte di san Gerolamo*, sempre di scuola ferrarese, che fa serie con altre due tavolette, oggi a Brera, proveniente dal monastero veneziano della Carità.

Anche Padova ha sempre costituito riferimento d'obbligo per la pittura veneziana, per quanto non sempre le "occasioni" patavine siano state colte dall'ambiente lagunare (si pensi a Giotto fra tutti). Ma la bottega dello Squarcione e, subito dopo, l'inestimabile magistero e severa grandezza di Andrea Mantegna han piantato capisaldi all'oscuro dei quali la stessa figura di Giambellino risulterebbe di difficile comprensione. Padova appare qui rappresentata da Pietro da Vicenza, seguace appunto del Mantegna, attivo fino al 1527, con un *Cristo alla colonna*, firmato, di impostazione alquanto rigida, e caratterizzata dall'insolita asprezza del disegno; di Giorgio Chiulinovic detto lo Schiavone (formatosi a Padova alla scuola dello Squarcione, attento soprattutto ad influssi toscani e, in particolare, agli esempi

del Lippi) è la *Madonna col Bambino e cardellino*, lavoro giovanile, di pensosa assorta atmosfera con disegno sicuro e preziosità cromatica.

A testimoniare l'incisività della stessa cultura toscana per la definizione dei caratteri propri della pittura del Quattrocento è buon documento la raffinata *Madonna col Bambino* contro un paesaggio collinare (centroitaliano?) risalente alla fine del XV secolo. Lavoro di qualità segnalata che ha fatto ampiamente dibattere la critica, l'opera è stata di recente attribuita a Francesco Benaglio (1432 circa 1492) con differenti matrici figurative (il putto appare ispirato ai modi belliniani).

31.2 Bartolomeo Vivarini

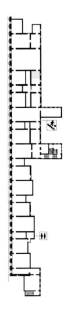

È con il muranese Bartolomeo Vivarini, a capo di una prolificissima e longeva bottega, che entriamo in un ambito pittorico quattrocentesco pienamente e autonomamente veneziano. Bartolomeo si forma a Padova alla scuola squarcionesca, subito attratto e seguace del magistero mantegnesco. Di Andrea egli conserva il gusto archeologico, il disegno insistito, netto e ricercato; l'atmosfera di gravità assorta e distaccata che conferisce alle sue figure una attitudine quasi di meditazione sulla storia. Bartolomeo si allontana tuttavia da questa linea ogni qual volta sceglie di stagliare le sue Madonne su volutamente arcaici e quasi bizantini fondi oro.

La giovanile *Madonna col Bambino*, firmata, risale circa al 1460; sullo sfondo oro si staglia la incisiva figura della Madonna, di evidente derivazione mantegnesca; più tarda (1470 circa) è la *Madonna col Bambino in trono*, purtroppo ritoccata e ampiamente ridipinta nello sfondo e nel trono, forse influenzata dalla coeva e giovanile produzione belliniana.

A Leonardo Boldrini, veneziano, presumibile seguace di Bartolomeo, attento tuttavia anche agli esempi giovanili di Lazzaro Bastiani, la critica recente ha

Leonardo Boldrini,
Presepe.

attributo le altre due piccole
tavole col *Presepe* e la
Presentazione al Tempio,
databili verso il 1375, e il
trittico con la *Madonna
tra san Girolamo e
sant'Agostino*, che conserva
la cornice originale dorata
(1490 circa).

*Bartolomeo Vivarini,
Madonna con Bambino.*

*Leonardo Boldrini,
Madonna tra san Girolamo
e sant'Agostino.*

32. Sala delle Quattro Porte

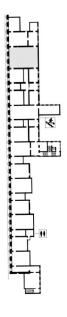

La grande *Sala delle Quattro Porte* è uno dei pochi ambienti delle Procuratie Nuove ad aver conservato sostanzialmente intatta la struttura originaria, risalente alla fine del Cinque o all'inizio del Seicento, realizzata su disegno di Vincenzo Scamozzi. Sicuramente originali sono la pianta con le quattro porte simmetriche dai contorni in pietra viva e la travatura del soffitto; mentre assai più tardi e risalenti ai rimaneggiamenti dell'immobile sono i due ampi portali laterali, ora murati. Settecenteschi sono i due grandi lampadari policromi di fabbrica muranese.

La sala è arredata con mobili e sedie del XVI e XVII secolo e conserva anche preziose sculture lignee. Il *paliotto* decorato e dipinto dalla delicata policromia, firmato da Bartolomeo di Paolo e Caterino d'Andrea, con *Storie del Vecchio e del Nuovo Testamento*, è databile ai primi anni del XV secolo. Proviene dalla chiesa del Corpus Domini, demolita nel corso dell'Ottocento.

I due *battenti* di portale gotico, databili alla fine del Trecento, provengono dalla cappella del Volto Santo o dei Lucchesi, presso la chiesa di Santa Maria dei Servi; la *statua* lignea dipinta di Sant'Antonio da Padova risale alla seconda metà del Quattrocento; l'*ancona d'altare* a trittico dorata e dipinta è attribuita a Gian Pietro di San Vito e a Bartolomeo dell'Occhio e proviene dalla parrocchiale di Bagnara di Portogruaro (1480 circa). A parete una fine *Madonna della misericordia* lignea del XVI secolo, purtroppo priva dei devoti inginocchiati al riparo del manto della Vergine.

Tra i portali murati, sopra una *cassapanca* lavorata del XVI secolo, è collocata la *Madonna col Bambino* in cartapesta e stucco, opera destinata a devozione popolare di raffinata fattura e sapiente plasticità; ne è autore Jacopo Sansovino – oltre che architetto, maggiore scultore del medio

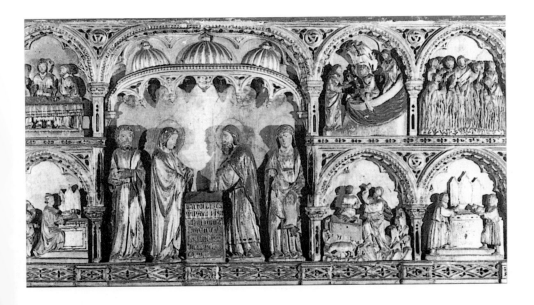

Cinquecento veneziano – e
proviene dalla corte Scotti
presso Campo San Luca.
A centro sala *modello ligneo
per il progetto di Palazzo
Pisani a Stra* (secolo XVIII)
appartenuto a Teodoro
Correr. Di provenienza
Papadopoli il *modello ligneo
del Palazzo Venier dei leoni*
sul Canal Grande progettato
da Lorenzo Boschetti nel
1749, interessante in quanto
il palazzo – attuale sed
e della collezione d'arte
contemporanea Peggy
Guggenheim – non è mai
stato ultimato e la costruzione
è rimasta incompiuta al piano
degli ammezzati.

*Scuola veneta del XVI secolo,
Madonna della misericordia.*

*Jacopo Sansovino, Madonna
col Bambino.*

Alla pagina precedente
*Bartolomeo di Paolo
e Caterino d'Andrea,
Paliotto con storie del
Vecchio e Nuovo Testamento,
particolare.*

33. Fiamminghi del XV secolo

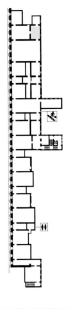

Il Museo Correr possiede – assai ricca fin dai tempi del fondatore – una significativa collezione di opere di pittori fiamminghi del XV e XVI secolo; qui si espongono anche per testimoniare gli intensi e reciproci rapporti tra l'arte veneziana e quella dell'area fiamminga tra Quattro e Cinquecento.

La pregevole *Adorazione dei Magi* reca la firma – apocrifa – di Pieter Bruegel; è da attribuirsi più verosimilmente al figlio Pieter il giovane, replica di altre tavole di egual soggetto conservate a Winterthur e ad Amsterdam; il *Cristo al Limbo* è opera di anonimo seguace di Jeronimus Bosch; anonimi anche l'autore dell'*Inferno* e quello della *Trasfigurazione*, quattrocenteschi. La *Madonna in trono tra due santi* e il *San Giovanni con santa Caterina e un devoto*, sempre del XV secolo, appaiono significativi per lo spiccato gusto per il colore e la minuziosa resa dei particolari.

Gli altri dipinti, due *Madonne col Bambino* e due portelle con *Annunciazione e due santi*, mostrano variamente esempi di maestri fiamminghi tra fine Quattro e primo Cinquecento.

*Pieter Bruegel il giovane,
Adorazione dei Magi.*

34. Antonello da Messina

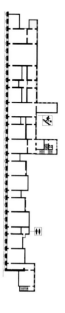

Uno dei vertici più alti del Museo è toccato nella piccola sala in travertino dove è conservata la celeberrima *Pietà* di Antonello da Messina. Antonello fu a Venezia per circa due anni tra il 1475 e il 1476; tale presenza fu però determinante nella città lagunare per l'avvio della grande stagione rinascimentale della pittura veneziana. Dal suo lavoro, nel quale confluiscono elementi fiamminghi e toscani, gli artisti veneti appresero non solo delle tecniche (nello specifico, se pur dubitativamente, la pittura ad olio) o dei linguaggi (come la corretta applicazione del codice prospettico) o un senso della natura di matrice umanistico-rinascimentale, sulle orme del grande magistero pierfrancescano; ma trassero bensì tutti quegli elementi che, portati nei decenni successivi a piena e originale maturazione, ebbero a dar ragione e materia alla pittura veneziana del Rinascimento. Quasi a contropartita di tutto ciò, Antonello ricava dal suo soggiorno veneziano un interesse nuovo per il colore, con ciò completando, arricchendo e ammodernando ulteriormente il suo linguaggio espressivo.

Tra le varie opere eseguite da Antonello durante la parentesi veneziana, l'unica

Antonello da Messina,
Pietà con tre angeli.

rimasta in città è la *Pietà* del Correr che, pur mutila e gravemente danneggiata da improvvidi restauri antichi, mantiene tuttavia il fascino e la potenza del linguaggio figurativo antonelliano. Particolarmente significativo il paesaggio sullo sfondo, in cui è stato identificato il ricordo della chiesa messinese di San Francesco. Di fronte alla *Pietà*, a confermare lo stretto rapporto esistente tra l'arte di Antonello e la contemporanea cultura pittorica fiamminga, sono esposti altri due veri capolavori: la *Crocifissione* di Hugo van der Goes, opera intensa e drammatica negli

umanissimi sentimenti manifestati nelle figure che la compongono, resa con linguaggio estremamente sobrio e maturo; e la delicata *Madonna che allatta il Bambino* di Dieric Bouts, ricca di dettagli e dalla versatile e preziosa tavolozza.

Dieric Bouts, Madonna che allatta il Bambino.

35. Fiamminghi e tedeschi del XV e XVI secolo

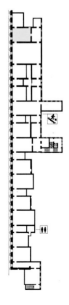

Ancora stranieri nella sala successiva: si tratta di opere di pittori fiamminghi e tedeschi collocabili tra la fine del Quattrocento e la prima metà del Cinquecento. *I piaceri del figliol prodigo*, tela di complessa lettura iconografica, dell'ambito di Paul Coecke van Aelst, fiammingo a lungo attivo in

Italia; le *Tentazioni di sant'Antonio*, opera di gusto onirico e grottesco, già attribuito al Civetta, di evidente derivazione da Hyeronimus Bosch. L'*Adorazione dei Magi* è l'opera di un anonimo pittore tedesco dei primi decenni del Cinquecento; il *Cristo risorto* reca la sigla apocrifa di Lucas

Alla pagina precedente
Seguace anversese di Bosch,
Tentazioni di sant'Antonio.

Ambito di Paul Coecke,
I piaceri del figliol prodigo.

Cranach, ma pare piuttosto
opera di un suo seguace agli
inizi del nuovo secolo; il bel
Ritratto muliebre mostra
qualità spiccate e singolare
penetrazione psicologica: è
stato attribuito al raffinato
ritrattista tedesco
Bartholomäus Bruyn. Le due
tavole con *Santa Barbara*
e *Santa Caterina* sono parti
di un polittico smembrato tra
Venezia, Monaco e Lüttich,
assegnato a Jos Amman von
Ravensburg e databile verso
il 1430. Anche le successive
tavole con la *Natività* e la
Presentazione al Tempio

sono parte di un polittico ora
disperso; risultano opera del
pittore austriaco Ruland
Früauf il vecchio. La tavola
con la *Vergine col Bambino*
è opera del pittore tedesco
Hans Fries; si tratta della
parte centrale di un altarolo
portatile; le valve laterali,
assai guaste, sono pure
conservate al Correr.

36. I Bellini

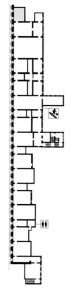

Bottega di Giovanni Bellini, Il doge Pietro Orseolo in abito da monaco e la dogaressa Felicita Malipiero.

Quello di Giovanni Bellini è sicuramente uno dei nomi più grandi e significativi della pittura veneziana: egli domina la scena pittorica lagunare del secondo Quattrocento e occupa una posizione di grande e riconosciuta autorità anche nel primo quindicennio del secolo successivo, pur dopo la rivoluzione giorgionesca e perdurando la prima stagione di Tiziano.

Sensibile al messaggio culturale del cognato, Andrea Mantegna, Giovanni parte da posizioni a questi vicine e per certi versi da lui mutuate (soprattutto l'inquietante, eroica e archeologica meditazione sulla storia), per affrancarsene progressivamente, dando vita ad un linguaggio di estrema raffinatezza e di vasta meditata profondità e coscienza critica.

Lo scambio con Antonello è centrale nell'itinerario di Giovanni Bellini: tutte le esperienze del siciliano vengono attentamente e accuratamente meditate e selezionate per essere rifuse e proposte nei vari grandi monumenti artistici dei fervidi decenni centrali della produzione del veneziano. Ancora in età avanzata Giovanni continua il serrato lavorio di revisione del proprio linguaggio pittorico: la produzione di Giorgione e del primo Tiziano spingono infatti il vecchio Bellini a nuove sintesi figurative e più complessivamente culturali, fino a dar vita ad alcune altissime sublimi elegie e meditazioni filosofiche sul senso ultimo delle cose, pervase di religiosità interiore di altissima pacata ispirazione.

Ma anche all'interno della famiglia più strettamente belliniana Giovanni aveva avuto modo di trovare ragioni e suggestioni soprattutto per la propria formazione e gli esordi artistici. Il padre, Jacopo, aveva avuto una formazione a ridosso del magistero di Gentile da Fabriano, per accostarsi poi al rinnovato clima del primo Rinascimento veneto; il figlio maggiore, e fratello quindi di Giovanni, Gentile fu pittore

Giovanni Bellini,
Crocifissione.

affermato di modi latamente mantegneschi, ma ebbe ad eccellere nella ritrattistica, specie ufficiale; in questa fortunata attività, che lo farà inviare anche alla corte di Maometto II a Costantinopoli, egli contempera la raffigurazione fissa e quasi ieratica del "ritratto di Stato" con un gusto decorativo raffinato e argutamente penetrante.
Di Jacopo (1400-1470 circa), il capostipite, è presente la dibattuta *Crocifissione*, opera tarda (post 1450) e probabilmente di provenienza dal convento di San Zaccaria. Il dipinto, che in origine doveva far parte di una predella di polittico, prova come Jacopo sia giunto, alla fine della sua carriera, a

rinnovare pressoché completamente il suo linguaggio figurativo nella direzione della nuova atmosfera rinascimentale, forse anche sotto l'influsso del figlio Giovanni.
Gentile (1429-1507) è presente con il *Ritratto del doge Giovanni Mocenigo*, a cavalletto. Il dipinto, che probabilmente rimase incompiuto a causa della partenza di Gentile per Costantinopoli, inviato alla corte del Sultano nel 1479, è una delle più rimarchevoli testimonianze delle sue doti di ritrattista, che gli valsero, assieme alla sua attività di pittore di grandi "teleri" storici per le confraternite religiose, gran fama tra i contemporanei.

Gentile Bellini,
Ritratto del doge
Giovanni Mocenigo.

Giovanni Bellini, Cristo
morto sorretto da due angeli.

Di Giovanni (1430-1516) sono presenti quattro importantissime opere, tutte risalenti al periodo giovanile della sua attività. *La trasfigurazione di Cristo sul Tabor*, mutila della parte superiore, forse era originariamente collocata sull'altar maggiore della chiesa di San Salvador (dove fu sostituita con la *Resurrezione* di Tiziano). La tavola, di indubbia ispirazione mantegnesca, risale agli anni tra il 1455 e il 1460. Coeva è la *Pietà*, di stupenda suggestione drammatica: in essa la maturità già acquisita e insieme la novità del linguaggio figurativo belliniano emergono in tutta

la loro forte efficacia e qualità artistica. A cavalletto è collocata la *Crocifissione* (1455 circa: forse addirittura la prima opera del catalogo di Giovanni) con evidenti caratteri mantegneschi nelle figure della Vergine e del San Giovanni e nel segno inciso e minuto che descrive fin nei minimi particolari le piccole figure ed il paesaggio sullo sfondo. Ancora a cavalletto è la celebre *Madonna col Bambino* (*Madonna Frizzoni*, dal nome dell'ultimo proprietario che la donò al Museo nel 1919) purtroppo in parte rovinata dal trasporto dalla tavola originale alla tela, eseguito nel secolo scorso. Malgrado ciò, il dipinto, che probabilmente fu eseguito tra

il 1460 e il 1464, si segnala come uno dei grandi capolavori del maestro, in possesso di un linguaggio libero, personale e inconfondibile. I successivi due piccoli dipinti vanno assegnati alla bottega di Giovanni: sia il *Ritratto di santo con corona d'alloro* (probabilmente san Fortunato), sia il *Doge Pietro Orseolo in abito da monaco e la dogaressa Felicita Malipiero*, che originariamente faceva parte della predella di un polittico (sicuramente di Giovanni) con *Santi* e la *Visitazione* nella chiesa di San Giovanni Battista alla Giudecca. Il frammento del Correr è l'unica parte rimasta dell'intero complesso.

37.Alvise Vivarini e i minori del tardo Quattrocento

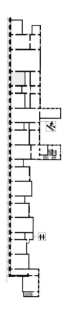

Contemporaneamente all'attività di Giovanni Bellini, altri artisti e altre botteghe, pur non insensibili all'influsso e all'attività del grande maestro, proseguivano per strade autonome un proprio cammino artistico, talora di raffinata e alta poesia, altre volte di più feriale e pur suggestivo registro. Di Alvise Vivarini, ultimo esponente della grande famiglia muranese di pittori e vetrai che tanta parte ebbe nella diffusione in Venezia del linguaggio padovano e mantegnesco, è il *Sant'Antonio* a cavalletto (con cornice originale), probabile replica autografa di parte di un polittico ora alle Gallerie dell'Accademia di Venezia, opera di grande delicatezza nel colore limpidissimo e nel disegno sottile ed elegante, databile alla fine del nono decennio del Quattrocento.

Ancora opera di pittori veneti o veneziani risalenti al tardo Quattrocento e al primo Cinquecento sono: la *Sacra Conversazione* (datata 1498), firmata da Giovanni di Martino da Udine, vicino ad Alvise, ma legato anche all'ambiente degli intagliatori e doratori carnici; la *Sacra Conversazione* di Giambattista Cima da Conegliano (ancorché tarda, attorno alla metà del secondo decennio del Cinquecento), assai guasta, ma dotata tuttavia di suggestiva evidenza volumetrica e vivace smalto coloristico. A Benedetto Diana, seguace e collaboratore di Gentile Bellini nella Scuola di San Giovanni Evangelista, è attribuito il *Cristo in Pietà* e a Pietro Duja, anche egli seguace belliniano, vanno riferite le successive *Madonna col Bambino e due santi* e *Madonna col*

*Marco Basaiti, Ritratto
d'uomo con berretto.*

*Alvise Vivarini,
Sant'Antonio.*

*Marco Basaiti, Madonna
col Bambino e donatore.*

Bambino (firmata). Il pittore vivarinesco Jacopo da Valenza è l'autore della *Madonna che allatta il Bambino*, firmata (purtroppo assai rovinata) e della *Madonna che adora il Bambino*, entrambe da datare verso il 1488; di Bartolomeo Montagna, bresciano, artista di spicco fra quanti ebbero ad operare nel Veneto tra fine Quattro e primo Cinquecento, sono la *Santa Giustina*, opera giovanile e alquanto rigida, che si colloca tra il linguaggio belliniano e quello di Alvise Vivarini (1480 circa) e la *Madonna col Bambino e san Giuseppe*, riportabile al secondo decennio del Cinquecento. Marco Basaiti fu pittore prolifico, seguace di Giovanni Bellini e Alvise Vivarini, di qualche efficacia narrativa e didascalica: sua la *Madonna col Bambino e donatore*, firmata, che risale forse al periodo in cui collaborò col Vivarini, della cui pittura è qui riscontrabile traccia non casuale, e così il piccolo *Ritratto d'uomo con berretto*, da riferire al periodo giovanile.

Degli influssi di Antonello da Messina ebbe a risentire e a giovarsi l'anonimo autore dell'altro piccolo *Ritratto di giovane*.

Alla pagina accanto
*Bartolomeo Montagna,
Madonna con Bambino
e san Giuseppe.*

*Benedetto Diana, Cristo
in pietà.*

38. Carpaccio: Le due dame veneziane

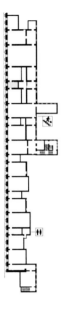

Vittore Carpaccio è sicuramente il più grande pittore-narratore veneziano tra XV e XVI secolo. I suoi celeberrimi teleri sono tra le testimonianze più alte di un momento di splendore della civiltà veneziana; di essa ci forniscono insieme una documentazione di impareggiabile portata ed un'interpretazione penetrante, arguta e raffinata.
Le due dame veneziane, opera della maturità di Vittore, è uno dei suoi più celebrati capolavori, più noto forse col titolo, derivatogli dalla letteratura romantica, di Cortigiane. Da datare intorno al primo decennio del XVI secolo, il dipinto di stupenda qualità pittorica risulta essere mancante della parte superiore convincentemente individuata in una *Caccia in valle*, oggi conservata al J.P. Getty Museum di Malibu, che ne stravolge del tutto la tradizionale interpretazione iconografica: non di cortigiane si tratterebbe, ma di due dame della famiglia Preli, cui appartiene lo stemma sul vasetto di sinistra, in attesa un po' annoiata dei loro

Vittore Carpaccio, Le due dame veneziane.

Alla pagina accanto
Vittore Carpaccio, Le due dame veneziane, particolare.

uomini impegnati nella caccia. Opera tarda del Carpaccio (1514) è il *San Pietro Martire*, originariamente parte di un polittico composto di cinque elementi che si trovava nella chiesa veneziana di Santa Fosca (disperso in seguito alle soppressioni napoleoniche). Un comparto con *San Rocco* si trova all'Accademia Carrara di Bergamo; un altro con *San Sebastiano*, recante la data 1514, fu esposto per alcuni anni in questa sala e solo recentemente è stato reso all'Accademia di Zagabria, proprietaria dell'opera.

39. Carpaccio e i minori del primo Cinquecento

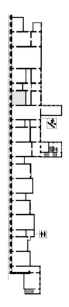

La tela con la *Visitazione* faceva parte, assieme a altri cinque teleri, ora dispersi in diverse collezioni, del così detto ciclo delle *Storie della Vergine* dipinto dal Carpaccio per la Sala delle Riunioni della Scuola degli Albanesi a San Maurizio, attorno al 1504. Dopo una lunga e dibattuta vicenda critica che ha passato il *Gentiluomo con il berretto rosso* – esposto a cavalletto –, dal Montagna, al Lotto, a Giovanni Bellini, svariati indizi ed elementi linguistici hanno tradizionalmente portato a riconoscere in questo dipinto, un'opera di Vittore, legata alla sua attività giovanile che sappiamo essersi svolta nell'orbita ferrarese e fiamminga. La critica più

Vittore Carpaccio, La visitazione, particolare.

recente tende invece a sottolineare come nell'opera sia prevalente e riconoscibile la cultura pittorica ferrarese/bolognese, e a ricondurla al quinquennio 1490-1495, tra Ercole de' Roberti e Lorenzo Costa. Al di là dei riconoscimenti e delle polemiche dei critici, rimane però la qualità altissima di questa tavola, l'enigma dello sguardo assorto e intenso dell'uomo, il paesaggio fluviale o lacustre degno di un sogno ariostesco. Al Carpaccio fu anche avvicinato il *Ritratto di giovane* (a cavalletto), ora più correttamente attribuito ad artista di impostazione belliniano-antonelliana. Di Lazzaro Bastiani, che fu allievo e collaboratore di Gentile Bellini, ma fu sensibile all'insegnamento di Antonello, è il trittico della *Madonna col Bambino* tra una *Annunciazione*, opera risalente al nono decennio del Quattrocento, e l'altra *Annunciazione*, firmata, da datare verso il 1485, dai colori freddi e squillanti, costruita quale schematica e quasi dimostrativa esercitazione prospettica.

Ancora belliniani sono Vincenzo da Treviso – o dalle Destre – (*Presentazione al Tempio* di derivazione da un prototipo belliniano), Marco Marziale (*Circoncisione di Gesù*, cui non sono estranei influssi tedeschi), Marco Palmezzano (*Cristo portacroce*, firmato e datato 1515, anch'esso derivato da uno schema belliniano spesso ripetuto dalla bottega). Giovanni Mansueti, che fu collaboratore di Gentile Bellini, è presumibilmente l'autore del *San Martino col mendico*. Ad un seguace del Bissolo va attribuita la delicata *Madonna col Bambino e san Pietro martire*, mentre il poco noto Pasqualino Veneto firma la *Madonna col Bambino* a cavalletto.

Marco Marziale, Circoncisione di Gesù.

Lazzaro Bastiani,
Annunciazione.

40. Lorenzo Lotto e il Rinascimento maturo

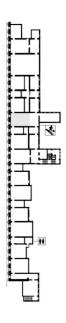

Di Lorenzo Lotto è la singolare piccola *Madonna allattante* a cavalletto. Databile alla fine del periodo bergamasco del Lotto (1525 circa) il dipinto, sebbene quasi dimesso, mostra molte qualità del maestro: dai begli angeli che reggono la corona, al gustoso paesaggio, alla raccolta, meditativa attitudine della Vergine, al colore ricercato e con notazioni originalissime e raffinate. La singolare spiritualità di Lorenzo appare quindi improntare di sé anche questo piccolo capolavoro, sottraendo l'immagine ai modi usuali e affermati, per sospenderla piuttosto in una dimensione di interiorità estranea addirittura al profondo senso religioso di matrice belliniana e invece calibrato secondo cadenze di spiritualità intensa e per certi versi forse volutamente esoterica.
Di Girolamo da Santacroce, collaboratore di Giovanni Bellini, è il piccolo frammento con la *Natività*, che pare risentire di echi giorgioneschi, mentre ad altro Santacroce, Francesco, appartengono la *Visione di san Girolamo*, copia di un'opera del Parmigianino ora alla National Gallery di Londra, e la *Madonna col Bambino, san Giovannino e*

due angeli. Gli altri due dipinti esposti – *Madonna col Bambino tra santi* e *Madonna col Bambino* – sono opere di Boccaccio Boccaccino, pittore originario di Ferrara, ma attivo soprattutto a Cremona, nel cui linguaggio convivono elementi belliniani e cimeschi e quelli lombardo-padani. A cavalletto presso la finestra *Ritratto d'uomo* (1556) forse proveniente dal Fondaco dei Tedeschi, lavoro suggestivo, opera di un pittore ritenuto vicino al Moroni, certo influenzato dalla ritrattistica tizianesca. Il *Busto di giovane* in bronzo (forse da attribuire a Andrea Loredan) è presumibile opera del padovano Andrea Riccio; il *Busto di uomo* in marmo, tradizionalmente considerato il ritratto di Carlo Zen, è opera già attribuita a Giovanni Dalmata, ma ora considerata di mano di artista lombardo della fine del XV secolo; la *pietra tombale* dell'umanista Antonio Sabellico è assai elegante lavoro in marmo della bottega di Pietro Lombardo.
Nelle vetrine sono esposte opere di diversa epoca e provenienza qui riunite a dare un saggio – se pure estremamente parziale e per certi versi occasionale – delle raccolte di oggetti d'arte e

d'artigianato di cui sono molto ricche le collezioni del Museo. Nella vetrina a sinistra della porta d'accesso, *dente di Narvalo* con intagli di soggetto sacro (*L'albero di Jesse, Trinità, Crocifissione* ecc.) opera di manifattura veneziana della seconda metà del Cinquecento; *tazza ovale* in rame dorato rivestita da una fascia d'avorio con scene di caccia al leone, opera di artista tedesco (Augusta?) della seconda metà del Seicento; una *tazza con scene di caccia ai tori; un calamaio* con lo stemma della famiglia Foscari, opera veneziana del secondo Settecento, due *statuette* in avorio di arte fiamminga raffiguranti un *Bambino dormiente*, probabilmente parte di un cofanetto, e una *Venere* nell'atto di accingersi al bagno del XVIII secolo. Infine si segnalano il gruppo con il *Ratto di Proserpina* poggiante su di uno zoccolo recante il nome dello scultore ADA:LENCK., ovvero Adam

Lenckhardt (1610-1661), e due *Vasetti* decorativi di manifattura tedesca del primo Settecento. Nella piccola vetrina retrostante due esempi di opere in argento della fabbrica di Limoges (secolo XIV), un *riccio di pastorale* ed una *legatura*, accompagnati da un prezioso frammento veneziano di *paliotto* argenteo dorato del secolo XIV, proveniente da San Marco. Nella vetrina successiva un gruppo di dodici *statuette* di arte tedesca in avorio raffiguranti divinità pagane. Sono esposti inoltre: un *manico di pugnale* con scene di caccia della bottega degli Embriachi, databile agli inizi del Quattrocento, cui seguono opere di fabbrica francese a cavallo tra il XIV e il XV secolo: due *custodie per specchio* in avorio con scene di caccia e scene del Castello d'amore e una *Madonna col Bambino* che conserva ancora qualche traccia dell'originaria

policromia e doratura. Di provenienza fiamminga la *statuina* frammentaria, dalla forte espressività, raffigurante Andromeda invocante soccorso (XVI secolo). Seguono un *cofanetto nuziale* di arte siculo-araba (XII-XIII secolo) ed un altro *cofanetto* italiano (XIV secolo) di forma esagonale con intarsi e bassorilievi in osso. A sinistra, *piastra con satiro e ninfa*, di scuola italiana del 1500, dove l'immagine raffigurata deriva da una stampa di Agostino Carracci. Infine si segnalano una *impugnatura con figura di donna*, forse applicata ad un ventaglio, interessante per il costume cinquecentesco veneziano riprodotto nella statuetta, e una *pace* con transito della Madonna e Apostoli.

Lorenzo Lotto, *Madonna allattante.*

Andrea Briosco detto il *Riccio, Busto di giovane.*

41. Madonneri greci del XVI e XVII secolo

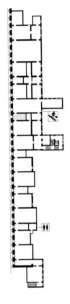

Gli antichi legami con l'ambiente mediterraneo-orientale, la presenza politica di Venezia nelle grandi isole di Cipro e di Candia e via via fino alla conquista della Morea – cioè del Peloponneso e dell'Attica – da parte di Francesco Morosini, sono tutti fattori che conservarono un rapporto anche culturale privilegiato tra quelle terre e Venezia. Madonneri, cioè pittori d'icone anche di tipo popolaresco, cretesi erano attivi a Venezia con botteghe prolifiche nelle quali elementi arcaici e sopravvivenze iconografiche bizantine curiosamente si mescolavano con le novità della più aggiornata pittura lagunare. La formazione veneziana e l'influsso prima tizianesco e poi tintorettesco in Domenico Theotocopulos – El Greco – sono l'esito ultimo, e più alto sicuramente, scaturito da tale secolare rapporto. Esempi assai interessanti della svariata produzione dei greco-veneti nel XVI e XVII secolo sono raccolti attorno ad alcune opere almeno dubitativamente attribuite proprio al periodo giovanile del Greco. L'*Ultima cena*, databile verso il 1565, e il *Sant'Agostino in preghiera* appaiono lavori assai prossimi ai modi giovanili di Domenico Theotocopulos. Seguono la *Madonna in trono con san Giovanni Battista e sant'Agostino* firmata da Giovanni Permeniate (seconda metà del XVII secolo) originariamente nella Scuola dei Botteri; *San Spiridione* firmato e datato 1636 da Emanuele Zane, proveniente dal monastero delle Cappuccine di Santa Maria del Pianto. I due dipinti in un unico pannello sono di Teodoro Pulaki, attivo a Venezia dal 1648 al 1675: *Sunamite al bagno e re David*

e la *Natività di Gesù*,
firmata. Le *Nozze di Cana*
sono una bella copia libera,
cinquecentesca, della tela
di egual soggetto di Jacopo
Tintoretto, oggi conservata
nella sagrestia della chiesa
della Salute.

*Teodoro Pulaki, Sunamite
al bagno e re David.*

Alla pagina precedente
*Pittore greco-veneto del XVI
secolo, Nozze di Cana.*

42. Maioliche del XV e XVI secolo

Già nella raccolta di Teodoro
Correr risultavano numerosi
importanti esemplari di
ceramiche italiane
rinascimentali, alcune di
altissimo pregio. La scelta
proposta mira a fornire una
rassegna delle varie scuole
presenti nella collezione
del Museo, con particolare
attenzione a segnalare i
rapporti tra la produzione
veneziana e i più affermati
laboratori centroitaliani.
La grande vasca con *Nettuno
su cavallo marino* tra le
finestre è opera di fabbrica
pesarese. Nella vetrina a
sinistra sono raccolte opere
delle manifatture di Urbino,

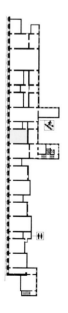

tra cui una *fruttiera* con grottesche e, al centro, le *Tre Grazie*. Proseguendo verso destra, sono esposte nella prima vetrina di fronte alle finestre opere di Mastro Giorgio Andreoli da Gubbio: un *tondino con stemma*, firmato sul rovescio, e una *confettiera col busto di Alessandro Magno*. Nelle successive vetrine si incontrano ceramiche delle manifatture di Casteldurante e di Venezia, tra le quali si segnalano la *crespina* azzurra e gialla, la *piastra* col ritratto del doge Tommaso Mocenigo attribuito a Mastro Domenico, il grande *boccale* con *Peleo e Teti* che reca lo stemma della famiglia Renier, il *vaso da farmacia* con medaglione.
Nella seconda vetrina lungo la parete d'ingresso e in quella di fronte sono esposte opere di Orazio e Flaminio Fontana, ceramisti attivi tra Casteldurante e Urbino; tra queste spiccano il piatto col *Giudizio di Paride* di

Flaminio e due esemplari di "guastada" (fiasca a corpo schiacciato) con le *Quattro virtù cardinali*, di Orazio. Seguono, nelle due vetrine contro la parete, opere di fabbrica faentina, tra cui notevole la grande piastra con il *Ratto di Elena*, datata 1518, e ceramiche di Nicola da Urbino. Le successive vetrine sono dedicate a Francesco Xante Avelli, nato a Rovigo, attivo dal 1530 a Urbino, sua la serie di piatti con soggetti mitologici e la "guastada" con la *Morte di Psiche*.
Sopra la porta di accesso è collocato il telero con la *Cena di san Domenico*, opera firmata di Leandro Bassano, risalente agli ultimissimi anni del XVI secolo, originariamente nel refettorio del convento dei Domenicani ai Santi Giovanni e Paolo.

Alla pagina accanto
Orazio Fontana, Guastada con allegoria della Fortezza.

43. Libreria Manin

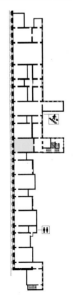

La sontuosa libreria settecentesca in radica di olmo di forme classicheggianti, già toccata dalle nuove sensibilità anticipatrici del gusto neoclassico, proviene dal palazzo dei Manin a San Salvador, là dove Ludovico, ultimo doge, aveva progettato di dar vita a una vera e propria ricchissima reggia privata. Il leggio gotico in bronzo a forma d'aquila (simbolo dell'evangelista Giovanni) è quasi certamente lavoro inglese, da datare verso la fine del Quattrocento. Proviene dal convento domenicano dei Santi

Giovanni e Paolo.
Nella sala è esposto il *Busto di Tommaso Rangone*, medico e scienziato ravennate a lungo presente a Venezia, opera di Alessandro Vittoria. Notevole l'imponente *lampadario* di fabbrica muranese settentesca.

44. Servizio Ridolfi

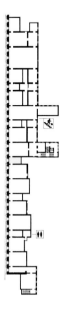

La piccola sala è interamente dedicata all'esposizione del preziosissimo servizio da credenza comunemente detto "servizio Ridolfi" dal nome di Piero, genero di Lorenzo il Magnifico, che se ne ritiene il committente. Il servizio risale agli anni tra il 1515 e il 1520 ed è composto di diciassette pezzi tra piatti piani e scodellati; cinque di essi recano decorazioni tematicamente ispirate al mito di Orfeo, mentre gli altri dodici derivano dalle xilografie delle *Metamorfosi* di Ovidio, edite a Venezia dal Giunta nel 1497, e da quelle della *Hypnerotomachia Poliphili*, edita anch'essa a Venezia dal Manuzio nel 1499. Per il servizio – a lungo ritenuto opera di Niccolò Pellipario, ceramista nativo di Casteldurante, ma operoso soprattutto in Urbino – gli studi più recenti, sulla base di accurate indagini linguistiche

e riconoscendo elementi compositivi tipici della tradizione lagunare, propongono l'attribuzione ad una fabbrica veneziana, con l'intervento di un pittore di modi giorgioneschi per la preparazione dei cartoni per le decorazioni.

Il percorso del Museo Correr continua al primo piano con le sale dedicate ai Bronzetti rinascimentali, *alle* Arti e Mestieri *ed ai* Giochi. *Di fronte all'uscita della* Quadreria, *vi è l'ingresso al* Museo del Risorgimento *(a pagina 94 della guida).*

Niccolò Pellipario, Orfeo ed Euridice.

45, 46. Bronzetti rinascimentali

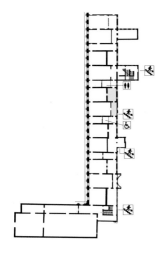

Alla pagina seguente

Alessandro Vittoria,
Picchiotto da porta con
Nettuno tra cavalli alati.

Gerolamo Campagna,
Nettuno che porta
una conchiglia.

Anonimo,inizio del XVI
secolo, Cavaspina.

In queste due salette si propone una selezione di bronzetti rappresentativa del più vasto materiale delle collezioni del Museo, documentando soprattutto la produzione dei più importanti scultori di area veneta dal tardo Quattrocento ai primi decenni del Seicento.
Nella prima sala sono esposte piccole sculture in bronzo che testimoniano il gusto rinascimentale per l'antichità classica e il recupero di stilemi e forme proprie alla scultura antica.
Nella vetrina vicino all'ingresso sono presentate infatti un gran numero di operette uscite dalla scuola di Andrea Briosco detto il Riccio (Padova 1470 circa-1532), scolaro di Bartolomeo Bellano (Padova 1435 circa-1496/7) – allievo di Donatello a Padova –, di cui è esposto, in questa vetrina, un piccolo *Mostro marino*, e, nella terza, una statuetta raffigurante *Davide*. Molto significativa per la varietà dei soggetti e la raffinata fattura è questa serie di bronzetti ispirati, spesso copiati, da esemplari di scavo. Tra le lucerne e le scatole zoomorfe e antropomorfe, notevoli per il virtuoso realismo le due *scatole a forma di granchio* e, per il gusto grottesco, la *lucerna in forma di animale fantastico* poggiante su di una zampa di gallo. Interessanti per l'eccezionale tecnica calligrafica, un *Serpente* e *Due lucertole che si mordono*, due piccoli bronzi veneziani del XVI secolo. Infine un *Cinghiale*, altro esempio di scultura rinascimentale attribuito dubitativamente a Giovanni Francesco Susini (?-1646).
Sempre di derivazione antica

i bronzetti dai temi mitologici esposti nella seconda vetrina: l'*Ercole fanciullo e il serpente*, cui seguono il *Busto di bambino* dell'inizio del XVI secolo, di ambito veneziano, e l'aggraziatissimo *Bambino a cavallo di una leonessa* della fine del XV secolo; di bottega padovana il *Putto suonatore* (XVI secolo). Seguono in basso due curiosi *reggilibri* in forma di unicorni impennati, in parte mutili; esemplificativi della produzione bronzea cinquecentesca finalizzata al collezionismo i tre *campanelli da tavolo* di bottega riccesca, contrassegnati da stemmi gentilizi e figurazioni sacre e profane.
Nella terza vetrina, provenienti ancora dalla bottega del Riccio, una *lucerna in forma di acrobata*, una graziosissima *Testina maschile* e due *Satiri*.
Accanto, di artista veneziano del XVI secolo, è esposto un *pomolo da portone in forma di testa*, che veniva utilizzato come maniglia decorativa e la statuetta veneziana raffigurante la *Saggezza*, della fine del XV secolo.
Accanto a quella veneta, sono rappresentate altre scuole scultoree: il raffinatissimo *Busto di donna* di autore anonimo lombardo, un *Bacco fanciullo* di scuola fiorentina, e la *Venere diademata*, dalle chiare suggestioni classiche, attribuita dubitativamente a Tullio Lombardo (1455-1532).
Nell'ultima vetrina, sono esposti bronzi degli inizi del Cinquecento: il *Cavaspina*, fedele copia di esemplare romano-alessandrino, e il *Ratto d'Europa* di area veneto-padovana del XVI secolo, notevole per la morbida fattura. Accanto,

alcuni bronzi dell'ultimo Cinquecento di gusto già manierista: *Le forze d'Ercole* di Niccolò Roccatagliata (notizie dal 1593 al 1636), scultore genovese, ma veneziano di adozione, amico del Tintoretto e di Alessandro Vittoria. Tra le finestre, entro una nicchia dorata, il busto in terracotta dipinta di *Francesco Duodo*, capitano da Mar durante la battaglia di Lepanto, eseguito da Alessandro Vittoria, uno dei maggiori scultori veneti del Cinquecento (1524-1608). Vittoria, scolaro e aiuto di Jacopo Sansovino, assai attivo nell'area marciana, eseguì molti importanti busti celebrativi di alte personalità veneziane, creando ritratti dalla forte carica espressiva e di acuta penetrazione psicologica; cinque di questi sono conservati presso la Galleria Franchetti, alla Ca' d'Oro, fra i quali vi è la versione definitiva in marmo del busto del Duodo. Nella prima vetrina di destra

della saletta successiva (sala 46) sono esposti altri bronzetti di ispirazione mitologica: due statuette di *Diana*, una *Venere*, un elegante *Apollo*, e un piccolo *Amorino* in bronzo dorato di artista veneziano del XVI secolo. Seguono due statue di *Ercole* con le insegne della famiglia veneziana Gradenigo: la scala e il corno dogale. Di scuola fiorentina due figurette di *Flora* o *Cerere*. Ancora dalla produzione di bronzetti di Alessandro Vittoria, si può ammirare nell'ultima vetrina di destra il picchiotto da portone con *Nettuno tra cavalli alati*. A sinistra in basso, un'elegante saliera in bronzo dorato raffigurante *Nettuno che porta una conchiglia* di Gerolamo Campagna (1542-1663 circa), scultore manierista. Vicine ai modi di Tiziano Aspetti (1565-1607), allievo di Jacopo Sansovino, l'*Allegoria della Pace* e *Marte*, sculture ricche di effetti chiaroscurali.

Nella vetrina di sinistra due statuette su basamento in bronzo dorato raffiguranti *San Marco evangelista* e *Sant'Andrea apostolo* eseguite da Gerolamo Campagna. Vicino a stilemi barocchi e alla produzione di Tiziano Aspetti due *Angeli reggicandela* dal piedestallo decorato con testine angeliche e volute.

47, 48, 49. Arti e mestieri

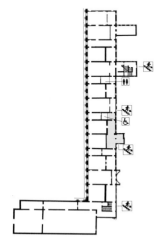

Alla pagina seguente
*Scuola veneta del XVIII
secolo, Insegna dell'Arte
dei "peteneri e feraleri".*

La fortuna economica di
Venezia, conquistata e difesa
sul mare e sviluppatasi
nell'ampia rete di commerci
che la Repubblica riuscì
ad intessere tra l'Oriente
e il cuore dell'Europa,
fu alimentata fin dall'inizio
anche in città da una intensa
attività manifatturiera per la
produzione di beni artigianali
e legati alla fornitura di
servizi. La gran parte dei
"cittadini" ai quali peraltro
era negato qualsiasi tipo di
ingerenza nella conduzione
politica dello Stato, riservata
esclusivamente ai nobili, ed i
"foresti" che con alterne
vicende confluirono a Venezia
dalle città vicine e dai
territori limitrofi, erano
tenuti a inserirsi in
organizzazioni a carattere
corporativo – le Arti – che
con proprie norme – le
"mariegole" – disciplinavano
la produzione, regolavano
le gerarchie interne,
assicuravano una mutua
provvidenza tra i confratelli.
Il fenomeno, conosciuto in
tutta Europa fin dal Medio
Evo, ebbe fino a tutto il
XVIII secolo, sviluppi
straordinari a Venezia, dove,
ancora oggi, se ne possono
trovare le tracce significative
in alcune locali strutture
associative e nella viva
presenza di una elevata
produzione artigianale.
In questa sezione, istituita di
recente, sono stati raccolti e
selezionati oggetti tra i tanti
conservati nel Museo che
sono indicativi del gran
numero delle Confraternite
d'Arte e di Mestiere che
operavano in Città (alla metà
del Settecento se ne
contavano centotrentadue) e
della qualità dei loro prodotti.
A guidare il percorso di
questa sezione museale sono

le *insegne* che già si
trovavano all'interno del
palazzo dei camerlenghi
a Rialto dove aveva sede
la magistratura chiamata
della Giustizia Vecchia,
che sopraintendeva a tali
associazioni. Le insegne
servivano probabilmente a
individuare lo spazio dove,
per ciascuna Arte, venivano
affissi avvisi, dazi, tariffe, il
prezzo che lo Stato imponeva
a queste corporazioni
in cambio della loro libertà
ad autoregolarsi.
Nelle insegne più antiche,
cinquecentesche e
secentesche su legno,
compaiono raffigurazioni
di gusto popolaresco che
caratterizzano l'attività
dell'Arte, con il nome del
"gastaldo" – il capo eletto
dagli iscritti alla corporazione
– e, nella parte superiore, gli
stemmi dei magistrati della
Giustizia Vecchia. All'apice,
a dominare, il leone di San
Marco e spesso il santo
protettore, alla cui devozione
le Arti più povere dedicavano
almeno un altare in una
chiesa veneziana o nel cui
nome, quelle più facoltose,
edificavano una "scuola" per
tener riunioni, far commercio,
custodire cassa comune. Nelle
insegne settecentesche, in
tela, questi stessi elementi si
compongono in forma meno
rigida, e raggiungono effetti
espressivi più raffinati.
All'inizio della sala a destra,
sono riuniti le insegne ed
alcuni prodotti legati ai
mestieri della moda; in primo
luogo le Arti della tessitura
del lino, della tela, della seta,
completati a loro volta da una
serie articolata di
specializzazioni in ordine alle
diverse fasi della lavorazione
come i "cimadori", che erano
addetti alla lisciatura finale

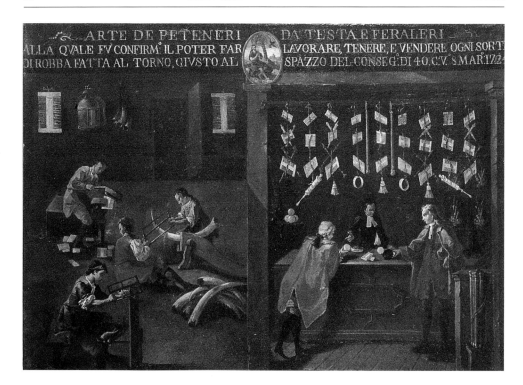

dei tessuti in lana, e i "tintori" che ultimavano le pezze prima della commercializzazione. Nella vetrina alcuni esempi di *preziosi tessuti* di manifattura veneziana. Val qui la pena ricordare che la vasta raccolta di abiti e di stoffe del Museo Correr di recente è confluita con altre collezioni in una nuova istituzione civica, il Centro Studi di Storia del Tessuto e dei Costumi presso Ca' Mocenigo a San Stae. Altro mestiere largamente diffuso a Venezia era quello dei "calegheri", attenti, come si può notare dagli oggetti esposti nella vetrina, a favorire i gusti più eccentrici delle cortigiane e nobildonne veneziane, mentre toccava ai "zavatteri" calzare con zoccoli e ciabatte i piedi del popolo minuto. Per confezionare le vesti, tra le altre, l'Arte dei "giupponeri", cui era

riservato cucire giubbe, drappi e abiti imbottiti; i "varoteri" invece, tagliavano le pelli di vaio o di altri animali da pelliccia, già conciate dagli "scorzeri" e dai "conciacurame", per fodere, bordure, colli, guanti e cappelli. Più avanti le insegne di alcune Arti legate alla *lavorazione del legno*, da quella più faticosa e rude dei "segadori", che operavano all'interno dell'Arsenale, a quella dei "botteri", i cui prodotti dovevano sottostare ai rigidi controlli delle Magistrature, fino a quella degli "intagliadori", che richiedeva ai lavoranti, prima di potersi fregiare del titolo di Maestro, un lungo periodo di apprendistato (garzonato) per acquisire la perizia necessaria alla realizzazione dei prodotti finiti. Nella vetrina dedicata ai "caldereri" che fornivano gli

strumenti del mestiere a "cuochi, fritoleri e pestrineri" (maestri caseari), un oggetto particolare il *Moro che soffia*: riempito d'acqua e posto vicino al fuoco, fungeva da attizzatoio con la fuoriuscita del vapore dalla bocca. Accanto all'insegna dell'*Arte degli oresi e dei giogielieri* (orefici e gioiellieri) sotto la protezione di Sant'Antonio Abate, nella vetrina la preziosa *legatura* in argento e oro della Mariegola, dell'Arte dei Calafati datata 1571. Nella parete vicina, tra le altre, le insegne delle corporazioni dedite ai facchinaggi ed ai trasporti pesanti dei materiali di costruzione in città: "carboneri", "peateri" (barcaioli). All'Arte dei *petteneri* si devono i bei lavori in osso che ornavano le acconciature femminili; nella stessa vetrina notevole

il *portaparrucche* in lacca povera e a fianco l'*insegna dell'Arte dei barbieri* con la curiosa immagine del Doge mentre viene servito di barba e capelli.
Infine, sotto la protezione della Madonna con il Bambino e san Giovannino, l'Arte dei farmacisti che contava

numerose botteghe dove si confezionavano conserve, estratti, infusioni, pillole, polveri, sciroppi, tinture; famosissimo fra tutti a Venezia un intruglio chiamato "teriaca", composto da sessantaquattro elementi, vera e propria panacea a tutti i mali.

50. L'Arte dei dipintori

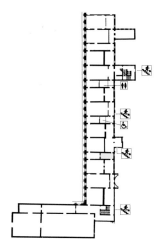

L'Arte dei dipintori, a cui è dedicata questa sala, comprendeva più "colonnelli" ovvero le specializzazioni di mestiere, che per affinità si associavano ad una stessa confraternita, mantenevano una unica mariegola e frequentavano una stessa Scuola. Alla fine del Seicento "i pittori di figura" lasciarono l'Arte dei dipintori, per formare un sodalizio nuovo e più esclusivo. Questi infatti ritenevano che non fosse più tempo di confondere, sia sul piano della riflessione estetica, che su quello della considerazione sociale, la natura liberale della loro arte con quella manuale e artigianale degli altri "colonnelli". Vero è che molti pittori, anche celebri e affermati, continuarono ad avere un rapporto operativo con le botteghe artigianali e tra questi anche Francesco Guardi, che non disdegnò di prestare la propria opera ad uso dei "cuoridoro" e realizzare per loro prodotti del tutto simili a quelli esposti alle pareti di questa sala. L'Arte dei "cuoridoro" si dedicava alla lavorazione del cuoio con ferri, rotelle, punzoni, a creare degli ornati che venivano poi ripassati con foglie d'oro e d'argento e che incorniciavano vivaci dipinti a fiorami o con soggetti a figura.

A Venezia le botteghe di "cuoridoro" erano molto numerose (se ne contavano 71), e molto diffusi i loro prodotti che si potevano trovare appesi alle pareti delle chiese, dei palazzi privati e pubblici, o impiegati come tappezzerie a ricoprire seggi e dossali e a far da copertina alle legature dei libri. Per la loro difficile conservazione, questi materiali esposti al Museo Correr vanno considerati pezzi molto rari; in particolar modo riuniti nella parete di sinistra, i tre *paliotti d'altare* che si presentano ancora del tutto integri e sono rappresentativi della qualità di questi manufatti oggi completamente in disuso.
La vetrinetta lungo il lato breve della sala è dedicata ai "cartoleri", altro "colonnello" dell'Arte dei dipintori. I "cartoleri", anch'essi molto numerosi a Venezia, prima dell'avvento della stampa usavano dipingere a pennello le carte da gioco. L'avvento delle tecniche legate all'arte tipografica, portò alla produzione in serie dei mazzi, in tempo per sostenere la crescente domanda che si sviluppò nel Seicento, quando diverse case da gioco vennero aperte in Città. Sulla sinistra, preziose e interessanti le *quattro carte del secolo XV*, xilografie colorate a mano di

Scatola laccata.

*Scuola veneta del XVIII
secolo, Insegna dell'Arte dei
dipintori.*

probabile fattura ferrarese,
molto simili alle carte del
mazzo di "tarocchi
Rothschild" conservate al
Louvre e a quelle, anche
famose, del Museo Civico di
Bassano. Il *mazzo a stampa*
sulla sinistra, fu trovato sotto
una travatura nei "camerotti"
dei Dieci – le Prigioni di
Palazzo Ducale – lì riposto
certamente da un galeotto
che intendeva sfuggire
al controllo degli "zaffi",
i guardiani preposti
a reprimere il gioco d'azzardo
all'interno del carcere.
Nelle vetrine di destra e
sinistra alcuni *vassoi, scatole
e cornici* provenienti dalla
ricca collezione di oggetti e
mobili a "lacca veneziana"
conservata al Museo Correr e
a Ca' Rezzonico. Furono molti
i pittori che si dedicarono
a questo tipo di lavorazione,

prima imitando gli originali
soggetti orientali, poi
acquisendo maggior libertà
di invenzione e di
interpretazione. Sulle
superfici lucide a fondo rosso,
verde, giallo e azzurrino,
spuntarono fiori tenuemente
colorati, figurine d'animali,
piccole scene pastorali
ed idilliache, vignette
a soggetto amoroso, tutto
quanto insomma
costituiva già il
patrimonio e il repertorio
della più aggraziata e
affermata pittura veneziana
del Settecento. Questo tipo di
produzione riuscì ad avere
molto successo commerciale
dentro e fuori città, cosicché
al lavoro di dipintura fatto
completamente a mano,
subentrò una lavorazione più
sbrigativa ed economica: la
cosiddetta "arte povera",

ovvero l'applicazione su legno
preparato e gessato, di
piccole stampe a taglio,
provenienti dalla vasta
produzione tipografica
veneta, legata principalmente
al nome dei Remondini di
Bassano. Una gustosa
coloritura, qualche ritocco
di raccordo, più mani di
sandracca – la vernice usata
per rendere lucente il decoro
– ed il risultato dell'"arte
povera" era comunque
assicurato, di grande effetto
e a più buon mercato.
La bella *insegna*
settecentesca, sulla sinistra,
riassume attorno all'ovale
con SAn Luca – il protettore
dei dipintori – gli strumenti
di lavoro e gli altri oggetti
prodotti dai vari "colonnelli"
che erano, oltre a quelli citati,
"i targheri", "i doradori",
i miniatori e i disegnatori.

51. L'Arte dei "tagiapiera"

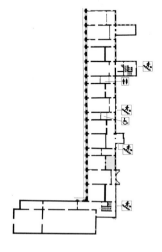

Veduta della sala dei marmi.

Quella dei "tagiapiera" era una delle corporazioni che contava più addetti a Venezia. Sin dalle origini, ma in particolare dal Rinascimento ai primi decenni dell'Ottocento, con le ultime costruzioni neoclassiche, il marmo, resistente all'acqua e al "salso", venne ampiamente impiegato nell'edilizia cittadina, utilizzato a consolidamento delle fondamenta degli edifici, nella statuaria esterna di chiese e palazzi, nel rivestimento marmoreo che caratterizza molti campi, fronti di canali e calli. Con l'impoverimento di Venezia, dopo la caduta della Repubblica nel 1797 e con le successive dominazioni straniere, ebbe il sopravvento l'uso più sobrio ed economico del mattone e dell'intonaco. L'umile e faticoso mestiere del tagiapiera conferì a Venezia una veste architettonica tanto ricca e fastosa, che la continua

necessità di manodopera impose a quest'Arte, a differenza delle altre corporazioni, di accettare tra i suoi confratelli anche lavoranti "foresti", provenienti prevalentemente da terre lombarde, svizzere e centroeuropee. Questa tendenza si affermò nei periodi in cui la Città venne colpita da gravi pestilenze, come quelle del 1576 e del 1621 o quando, durante i conflitti bellici, venivano reclutati tra i cittadini, i rematori per le galere da guerra. Tale fu l'apporto straniero in quest'arte, che dal 1600 si creò una vera e propria concorrenza tra i "tagiapiera" veneziani ed i lapicidi che provenivano dalle regioni del Nord. Le opere di varie epoche raccolte in questa sala, tra le molte che il Museo custodisce, testimoniano l'evoluzione dell'iconografia del leone di San Marco, simbolo di fede religiosa, ma

anche del potere dello Stato. Interessanti i diversi *leoni a moleca*, dove il leone alato vi compare simile ad un granchio – "moleca" –, esempi di una tipologia che venne particolarmente usata nelle raffigurazioni araldiche e nella monetazione. L'altra tipologia qui documentata ed ampiamente diffusa anche negli stendardi e nelle bandiere, come si è già visto nelle sale precedenti, è quella del *leone andante* in piedi, con le zampe anteriori poggianti l'una sul Vangelo aperto, l'altra a terra, e con le zampe posteriori in acqua, ad indicare il potere marittimo e terrestre della Repubblica di Venezia. Sono esposti pure rilievi di stile tardo-gotico: gli *stemmi* delle famiglie Civran, Moro e Malipiero nella parete sinistra; i *Confratelli della Scuola di San Marco oranti davanti al santo protettore*; tra le finestre una *Vergine in trono tra il Doge e i Provveditori alla Sanità*, proveniente dal lazzaretto dell'isola lagunare di Poveglia (secolo XVI, prima metà); nella parete opposta altro rilievo già sul portale dell'isola del Lazzaretto Vecchio, opera dello scultore Guglielmo Bergamasco (1525) con i tre *Santi Marco, Rocco e Sebastiano*, protettori contro il contagio, e gli stemmi dei Procuratori de' Citra, alla base. Più tarda la *lastra in pietra d'Istria con mascherone*, rivestimento di una delle molte urne, collocate in varie zone della città, che aiutavano, con l'uso della delazione, l'infallibile e rapida giustizia della Serenissima. In questa si raccoglievano le denunce segrete contro i frodatori di dazi.

52, 53. I Giochi

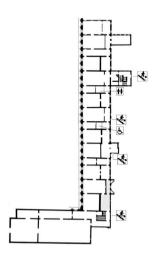

Le ultime due sale sono dedicate ai Giochi. Esse ci introducono nel vivere quotidiano dei Veneziani aristocratici o dei semplici cittadini, rinviando alle più svariate pratiche ludiche, che nel tempo si tennero in Città sia all'aperto, con il concorso pittoresco della folla, sia al chiuso, in luoghi appartati e protetti. Il governo veneziano seppe gestire quelle pratiche, ora incanalando rivalità e antagonismi in regolamentate occasioni di confronto, ora convogliando la voglia di trasgressione e le speranze di guadagno nella gestione di lotterie e azzardi, gestione da cui poter ricavare precisi vantaggi economici per lo Stato. Così le libere lotterie, che dal Cinquecento catturavano freneticamente tutti i Veneziani, furono sottoposte a rigidi controlli contro i vari tipi di truffe; e nel Settecento in fasi di difficoltà economiche, il Lotto divenne fonte preziosa di incasso per lo Stato. Già nel Seicento d'altronde, all'indomani della fine della peste che aveva decurtato di un terzo la popolazione veneziana, l'apertura in Palazzo Dandolo a San Moisè del "Ridotto", casa da gioco pubblica (1638), aveva testimoniato una lungimirante e cinica politica, che dalla criminalizzazione del gioco d'azzardo, conduceva a un suo sistematico sfruttamento. Nella prima delle due sale (sala 52) sono esposti alle pareti quadri raffiguranti le *Forze d'Ercole*, prove acrobatiche di piramidi umane, che si tenevano in occasione delle feste cittadine e il Giovedì Grasso. Esse si "costruivano" su tavolati poggianti su botti, dove un grosso cuscino serviva ad attenuare eventuali cadute; oppure su barche (le "peate"), quando le forze si tenevano sull'acqua. Famose tra le altre, le Forze d'Ercole tenute in un freddissimo inverno di fine Settecento, sulla laguna ghiacciata, presso l'isola di San Secondo.

Il *modello in legno* del secolo XVIII mostra le due "peate" su cui poggia la piramide umana: al vertice sta il "cimiereto", un fanciullo che porta in mano l'"anara", ossia il modellino della piramide stessa, che variava di volta in volta, in rapporto alla figura che dava il nome alla prova. Nella sala successiva (sala 53) alle pareti, quadri relativi a giochi che si svolgevano all'aperto: singolari le cosiddette *guerre dei pugni*, che i popolani sostenevano su alcuni ponti di Venezia e che spesso si concludevano in risse collettive, tanto che, proprio per i loro risvolti violenti, vennero vietate nei primi anni del Settecento. Tali guerre vedevano a confronto Castellani e Nicolotti, tradizionalmente nemici, che abitavano nelle due opposte rive del Canal Grande: i primi, in prevalenza marinai, nei sestieri di Castello, San Marco, Dorsoduro; i secondi in prevalenza pescatori, nei sestieri di San Polo, Santa Croce, Cannaregio. Un altro gioco era quello della *caccia ai tori*, con cani feroci addestrati al combattimento. Sempre alle pareti due ritratti di regatanti, un uomo e una donna, con i trofei delle loro vittorie. Nella prima vetrina a destra il *gioco della mea*, antecedente della moderna "roulette". È esposto di seguito il *gioco reale*, il più diffuso tra i giochi ad estrazione, composto da un tavoliere spesso di tela, a varie caselle dipinte; poi il *biribis*, anch'esso molto diffuso con moltissime possibilità di combinazioni e scommesse. Della più classica tradizione seguono alcuni giochi di percorso – *giochi dell'oca* – fra i molti conservati al Museo Correr, e alcuni solitari chiamati *giochi dell'eremita*.

Nella vetrina successiva è esposta una selezione di mazzi di carte: interessante quello relativo al "gioco di storia romana", esempio dell'uso didattico delle carte da gioco che si diffuse tra il Seicento ed il Settecento.

Alle carte infatti si affidò l'insegnamento della storia, della geografia, dell'araldica, della Bibbia. Curioso il mazzo di carte di Giovanni Palazzi (1681), che racconta la storia di Venezia al femminile, attraverso le gesta delle sue eroine e delle donne illustri. Nella vetrina di centro, accanto al gioco degli scacchi, quello altrettanto antico dello "sbaraglino" oggi conosciuto come "backgammon", gioco di abilità e di fortuna insieme. Seguono varie "cartelle del gioco della tombola", gioco appartenente al genere delle lotterie, introdotte a Venezia sin dal Cinquecento, che prevedevano premi finali di vario genere e che ebbero larga diffusione. Nel Settecento ebbe pure molto successo il "lotto ad uso di Genova", gioco con estrazione di cinque numeri, il più vicino al lotto attuale. Nelle vetrine sulla sinistra, due cosiddetti *giochi di pazienza*, simili ai nostri "puzzle", e una serie di *vetri da proiezione* dipinti, che inseriti in una "lanterna magica", animavano gli spettacoli detti del Mondo Nuovo.

Carta da gioco dei tarocchi. Secolo XVIII.

Pittore del XVIII secolo, Ritratto di Maria Boscolo, regatante.

Museo del Risorgimento

Il Museo del Risorgimento ha ricevuto nel 1980 la sua attuale configurazione, abbandonando il precedente ordinamento (1936) concepito in anni di violenta esaltazione nazionalistica. Esso illustra con materiali di documentazione storica e artistica le successive fasi della storia veneziana dopo la caduta della Repubblica di Venezia nel maggio 1797 e giungendo fino alla annessione della città e della regione veneta al sabaudo Regno d'Italia nel 1866 come conclusione della così detta terza guerra d'Indipendenza.

Lasciati i toni enfatici e marcatamente anti-austriaci della sua primitiva versione, il Museo del Risorgimento accompagna quindi attraverso la rievocazione di eventi e personaggi dell'Ottocento veneziano cercando, per quanto possibile, di far emergere, al di là delle battaglie e delle guerre, il clima culturale e politico che ebbe a segnare i caratteri di un secolo controverso e difficile per Venezia.

1, 2. La massoneria e il primo periodo di dominazione austriaca

Nelle prime due salette vengono documentate quelle che furono le premesse culturali alla caduta della Repubblica, testimoniando soprattutto la presenza in città di logge massoniche e la diffusione degli ideali democratici e libertari, per altro tollerati o colpiti in maniera piuttosto mite dalle autorità veneziane. Interessanti, nelle vetrine, oggetti e disegni relativi ai rituali massonici, provenienti per lo più dalla Loggia di Rio Marin, scoperta e disciolta nel 1785.

I massoni veneziani, buona parte dei quali appartenenti al patriziato e, quindi, alla classe di governo, saranno con la borghesia progressista delle professioni, delle arti e dei commerci, l'anima dell'esperienza immediatamente successiva all'auto-scioglimento del Maggior Consiglio e all'abdicazione dell'ultimo doge, Lodovico Manin: quella della Municipalità Democratica, insediata in forma di Governo provvisorio su pressione delle truppe francesi entrate in Italia al comando di Napoleone Bonaparte.

L'atto simbolico più forte, festa popolare e quasi liturgia laica, fu l'erezione al centro di piazza San Marco dell'*Albero della libertà*, su modello francese (si veda il fine dipinto di anonimo, a parete). Ma tutta la vita cittadina fu investita da tale carica innovatrice e, talvolta, iconoclasta: si volevano ridefinire e ridenominare i quartieri cittadini (si veda lo schema colorato del *Progetto di suddivisione amministrativa della città di Venezia*), si utilizzarono i teatri per rappresentazioni a valenza politica e civile (si veda l'*Apparato scenico del teatro La Fenice* per una rappresentazione patriottica), si progettò di riformare il sistema delle parrocchie e così via.

La Municipalità ebbe vita breve: da maggio a novembre del 1797; la fine fu sancita dal trattato di Campoformio con il quale Napoleone cedeva all'Austria i territori della ex Repubblica in cambio dei Paesi Bassi. La delusione fu cocente: la satira, fino ad allora anti-aristocratica, e anti-austriaca, colpì violentemente francesi, democratici e municipalisti (si vedano le *incisioni* e i *disegni* esposti nella sala 2). La presenza degli austriaci a Venezia si può suddividere in tre momenti distinti: dalla fine del 1797 al 1805, allorché la città entrò a far parte del napoleonico Regno d'Italia; dal Congresso di Vienna (1815) al 1848 (quando, cioè, la rivoluzione di Manin e Tommaseo resse Venezia, duramente assediata, per più di un anno) e il terzo periodo, quello che va dall'agosto del 1849 all'ottobre del 1866, data del grande plebiscito che sancì l'annessione all'Italia. L'arrivo dell'aquila bicipite degli Asburgo sulle lagune (l'ingresso degli austriaci a Venezia si ebbe nel gennaio del 1798) coincise con una "piccola restaurazione" mirante a cancellare gli effetti della Municipalità democratica: in realtà, gli austriaci mai ebbero l'intenzione di ripristinare il passato governo aristocratico (sono esposte allegorie del buon governo e stampe celebrative dell'istituzione del porto-franco).

Colonna eretta in piazza San Marco a Napoleone I.

3. Venezia e la dominazione napoleonica (1806-1814)

Sull'onda dei successi di Napoleone, i francesi ripresero il controllo della città nel 1806; Bonaparte in persona si recò in visita a Venezia a fine novembre 1807: il materiale esposto si riferisce anche a tale trionfale visita (incisione con l'*Arrivo di Napoleone*; incisione con *La statua di Napoleone* di D. Banti, eretta in Piazzetta San Marco). I due *busti* in marmo di Carrara, opera di A. Pizzi, raffigurano Napoleone e la seconda moglie, Maria Luisa. Molte importanti *medaglie napoleoniche* sono esposte nelle vetrine. Furono anni di grandi lavori e di grandi iniziative per il rilancio di Venezia; ma anche di grandi demolizioni e trasformazioni del volto della città (tristemente celebre fu la distruzione della chiesa di San Giminiano – in faccia alla basilica di San Marco – per dar vita ai locali di rappresentanza della reggia napoleonica).

Satira antinapoleonica.

4. Secondo periodo di dominazione austriaca (1815-1848)

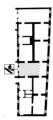

Quelli immediatamente successivi alla caduta di Napoleone e al ritorno a Venezia degli austriaci furono anni di crisi economica e demografica assai grave; poi si verificò invece una fase di maggior benessere e di significative iniziative, soprattutto di opere pubbliche: i grandi lavori per la sistemazione delle bocche di porto con la costruzione delle dighe marmoree e la realizzazione della linea ferroviaria Venezia-Milano furono certo i più importanti. In particolare la ferrovia comportò la costruzione del ponte con binari che unì stabilmente la città alla terraferma togliendo Venezia dalla sua millenaria condizione di insularità (incisioni con il ponte ferroviario, con la posa della prima pietra alla diga di Malamocco; dipinto con progetto di monumento celebrativo a Francesco I davanti a Palazzo Ducale). È nel corso di questi anni che iniziano anche a organizzarsi le società segrete di opposizione al dominio asburgico e per l'unificazione di Venezia al Regno d'Italia: adelfi e carbonari furono i gruppi più celebri e furono quelli che dovettero più pesantemente subire le conseguenze della repressione da parte della polizia austriaca con condanne, deportazioni, carcere ed esecuzioni capitali (nelle vetrine materiale delle società segrete; *Veduta della fortezza-prigione dello Spielberg*; sentenza di condanna contro vari carbonari: tra di essi Pietro Maroncelli e Silvio Pellico).

5, 6, 7. L'insurrezione di Venezia, l'assedio e la resa (1848)

Alla insurrezione di Venezia del 1848-49, al suo governo provvisorio e all'assedio finale è dedicata l'ampia sezione centrale del Museo. Il materiale di documentazione delle tre sale ruota attorno alla figura e all'operato di Daniele Manin che dell'insurrezione fu l'animatore e la mente politica. La scansione degli eventi vede una prima fase insurrezionale (sala 5, dipinti a olio di V. Giacomelli con la presa dell'Arsenale e la resa della guarnigione austriaca), quindi quella della costituzione del Governo provvisorio e

Luigi Querena, Scoppio di una mina sul ponte della ferrovia.

dell'organizzazione militare della resistenza agli austriaci (sala 6, materiale documentario di vario genere, ritratti, armi; dipinti di Lattanzio Querena con differenti episodi militari); infine i mesi durissimi ed eroici dell'assedio (sala 7, grande dipinto di A. Della Libera con la proclamazione della resistenza a ogni costo; disegno di Ippolito Caffi con il ponte della ferrovia interrotto dalle granate; piatti decorati inneggianti a Manin e a Venezia; cartamoneta dell'assedio; vari cimeli storici legati al blocco e alla capitolazione della città).

Anonimo, Satira antinapoleonica.

8. Terzo periodo di dominazione austriaca

L'ultimo periodo austriaco registra il progressivo distacco della città dal governo asburgico nonostante i tentativi del maresciallo Radetzky (ritratto) e il pressante controllo militare e poliziesco, le condanne e le repressioni.
Proclami, ritratti, materiale propagandistico, oggetti-ricordo risorgimentali costituiscono la maggiore attrazione del settore finale del Museo, quello nel quale viene documentata l'annessione di Venezia e del Veneto all'Italia. Le immagini di Garibaldi, Cavour, Vittorio Emanuele II ricorrono nei dipinti ufficiali e in variegata serie di oggetti (rimarchevoli i ritratti miniaturizzati in vetro – le "murrine" – tipici della produzione ottocentesca muranese).

Ippolito Caffi, Soldati italiani, particolare.

9. Daniele Manin

Lo scrittoio, l'armeria, gli oggetti personali di Daniele Manin e vari dipinti a testimonianza delle celebrazioni per il ritorno trionfale a Venezia delle sue ceneri, oggi conservate nel mausoleo sul fianco nord della basilica di San Marco, testimoniano del ruolo da lui avuto in un difficile momento della storia della città e del debito di riconoscenza che Venezia ha sempre tributato alla sua figura e alla sua memoria (dipinto di G. Favretto con la inaugurazione del monumento a Manin in campo San Paternian).

Ary Scheffer, Ritratto di Daniele Manin.

10, 11. Ritratti risorgimentali

Le salette successive accolgono piccole mostre temporanee a soggetto risorgimentale realizzate con materiali tratti dai depositi del Museo.
Una prossima collocazione e impaginazione del Museo comporterà il recupero di materiali relativi alla fine

del XIX secolo, alla Prima guerra mondiale, al periodo della dittatura fascista, alla Seconda guerra mondiale e alla Resistenza al nazifascismo, che fu a Venezia assai dura e punteggiata di molti episodi di grande eroismo.

Karl Zompis (?), Metternich in fuga.

Bibliografia essenziale

V. Lazari, *Notizie delle opere d'arte e d'antichità della Raccolta Correr*, Venezia 1859.

Museo Civico e Raccolta Correr. Regolamento e Istruzioni, Venezia 1879.

Museo Civico e Raccolta Correr. Inaugurazione, Venezia 1880.

Guida alle opere d'Arte e d'Antichità della Raccolta Correr, Venezia 1881.

Elenco degli oggetti esposti..., Venezia 1899.

Guida illustrata del Museo Civico Correr di Venezia, Venezia 1909.

G. Fogolari, *I palazzi e le ville che non sono più del Re. Il Palazzo Reale di Venezia*, in "Illustrazione Italiana", 30 gennaio 1920.

P. Molmenti, *Il Civico Museo Correr nella sua nuova sede*, in "Rivista di Venezia", 1922, pp. 9 sgg.

G. Lorenzetti, *Venezia e il suo estuario*, Roma 1926 (1ª ed.).

Catalogo del Civico Museo Correr, Venezia 1938.

G. Lorenzetti, *Civico Museo Correr. Catalogo della Quadreria*, Venezia 1949.

G. Mariacher, T. Pignatti, *La Quadreria del Museo Correr*, Venezia 1949.

M. Muraro, *La Quadreria Correr*, Venezia 1949.

T. Pignatti, *La Quadreria Correr*, in "Vernice", 1949, pp. 32 sgg.

M. Brunetti, *Civico Museo Correr. Le collezioni storiche*, Venezia 1955.

G. Mariacher, *Pittori greco-veneti del Cinquecento al Museo Correr*, in "Atti del XVIII Congresso Internazionale di Storia dell'Arte", 1955.

G. Mariacher, *Il Museo Correr di Venezia. Dipinti dal XIV al XVI secolo*, Venezia 1957.

T. Pignatti, *Capolavori del Correr*, Bergamo 1958.

T. Pignatti, *Il Museo Correr di Venezia. Dipinti del XVII e XVIII secolo*, Venezia 1960.

M. Gallotti Minola, *El Museo Correr de Venecia y su pinacoteca*, in "Colloquio", 1961, pp. 1 sgg.

G. Mariacher, *I tesori della Quadreria Corre a Venezia*, Milano 1961.

The Correr Museo, Venice, in "Architectural Design", 1962, pp. 159 sgg.

A. Belloni, *Transformation de la galerie Correr à Venise*, in "M.D.", 1963, pp. 78 sgg.

G. Mariacher, *La raccolta di ceramiche del Museo Correr di Venezia*, in "Faenza", 1965.

G. Mariacher, *Bronzetti del Rinascimento al Museo Correr*, in "Bollettino dei Musei Civici Veneziani", 1966, n. 1.

G. Mariacher, *La Quadreria*, Venezia 1967.

G. Mariacher, *Gli avori del Museo Correr di Venezia*, in "Rassegna dell'Istruzione Artistica", 1967, pp. 33 sgg.

G. Mariacher, *Guida al Museo Correr di Venezia*, Roma 1972.

G. Mariacher, *Unfamiliar Masterpieces of North Italian Sculpture*, in "Apollo", 1975, pp. 174 sgg.

L. Moretti, *The Golden Age of the Republic*, in "Apollo", 1975, pp. 164 sgg.

G. Robertson, *The Quadreria*, in "Apollo", 1975, pp. 190 sgg.

Teodoro Correr and his Museum, in "Apollo", 1975, pp. 156 sgg.

G. Pavanello, *La decorazione del Palazzo Reale di Venezia*, in "Bollettino dei Musei Civici Veneziani", 1976, pp. 3 sgg.

Arti e mestieri nella Repubblica di Venezia, Venezia 1980.

Le insegne delle Arti Veneziane al Museo Correr, Venezia s. d. (1982).

G. Romanelli, S. Biadene, *Venezia piante e vedute. Catalogo del fondo cartografico a stampa*, "Supplemento al Bollettino dei Musei Civici Veneziani", 1982.

Una città e il suo Museo. Un secolo e mezzo di collezioni civiche veneziane, "Bollettino dei Musei Civici Veneziani", XXX, nn. 1-4, 1986.

Carpaccio, Bellini, Tura, Antonello e altri restauri quattrocenteschi della Pinacoteca del Museo Correr, a cura di A. Dorigato, Milano 1993.

Referenze fotografiche
Archivio Electa, Milano;
Archivio fotografico del Museo Correr, Venezia.

Questo volume è stato stampato dalla
Fantonigrafica – Elemond Editori Associati